22 août 1991
donné par Marcel
pour mon anniversaire

VERS LA PLÉNITUDE ET LA JOIE

Du même auteur :

LE SERMON SUR LA MONTAGNE. La Clef du Succès dans la Vie.

AFFIRMEZ LA SAGESSE DIVINE. Ta volonté soit faite.

LE POUVOIR PAR LA PENSEE CONSTRUCTIVE.

LES DIX COMMANDEMENTS. Les Clefs de la Vie.

EVIDENCES. Les Lois de la Vie et leur Application.

CHANGEZ VOTRE VIE.

I.S.B.N. 2-900219-14-0

Dr EMMET FOX

VERS LA PLÉNITUDE ET LA JOIE

TRADUIT DE L'AMÉRICAIN

ÉDITIONS "ASTRA"
10, RUE ROCHAMBEAU, 10
PARIS-9e

« En Ta Présence sont la plénitude et la joie ».

PREFACE

CES brefs chapitres n'ont pas besoin d'être présentés au lecteur. Ils constituent une suite de conseils pratiques pour mener une vie heureuse.

La vraie réussite, le bonheur réel, la paix de l'esprit, la prospérité et la richesse dignes de ce nom, sont à la portée de tous ceux qui, les désirant sincèrement, sont disposés à en payer le prix.

Le prix que l'on vous demande, vous le payerez en lisant ces méditations attentivement, non pas une fois, mais plusieurs, et en les mettant ensuite en pratique pour résoudre vos difficultés, grandes ou petites. La seule manière, en effet, de faire la preuve de cet enseignement, c'est de le vivre.

Cet ouvrage peut être considéré comme la suite du livre intitulé « *Evidences* ».

CLOCHARD, TU ES RICHE !

VOUS avez en vous une source intarissable de force, à condition que vous la connaissiez et vous en serviez. Cette force peut vous guérir et vous guider en vous inspirant ce que vous devez faire et comment vous devez le faire. Grâce à elle, il vous sera possible de sortir du pays d'Egypte (la servitude) pour entrer dans la Terre Promise où coulent le lait et le miel. Elle peut vous dispenser la paix de l'esprit et, surtout, une connaissance directe de Dieu.

Cette force, c'est la Prière Scientifique.

Il n'est point de difficulté dont la Prière ne puisse triompher ; il n'est pas de chose désirable qu'elle ne puisse susciter dans votre vie.

C'est le message qu'apporte toute la Bible. Jésus l'a résumé dans ces mots : *Le Royaume de Dieu est en vous*. L'homme est lent à le saisir. Il gaspille sa vie à courir après les choses extérieures et néglige la seule qui importe. On pourrait le comparer à un fermier ruiné dont les champs, sans qu'il s'en doute, s'étendent sur un gisement d'or. Affolé, il s'adresse à une banque pour obtenir des crédits. Il supplie les membres de sa famille et les prêteurs de venir à son secours — tandis que le gisement d'or est là, intact et ignoré de tous.

Cette vérité a été dramatiquement illustrée par un événement survenu il y a quelques années. On découvrit le corps d'un clochard, vêtu de haillons, près d'un four à chaux où il s'était glissé, évidemment, pour se réchauffer. L'autopsie faite, on déchira ses vêtements pour les brûler dans l'incinérateur et l'on découvrit, cousu dans la doublure de son pantalon, un billet de banque représentant une grosse somme. Sans doute qu'un précédent propriétaire du vêtement l'y avait fait coudre par prudence, puis, on ne sait pourquoi, l'y avait oublié.

Réfléchissez à cette situation. Le pauvre clochard avait dû s'asseoir plus d'une fois devant une tasse de café tiède et un morceau de pain rassis — tout heureux encore de cette aubaine — alors qu'il avait sous lui, sans qu'il le sût, un billet de mille dollars. S'il s'était rendu compte qu'il était si riche, il aurait dormi sous un toit et on ne l'aurait pas trouvé mort après cette fatale nuit. Peut-être que ce capital lui aurait permis de prendre un nouveau départ et de réussir dans la vie.

Par certains côtés, bien des gens ressemblent à ce clochard. Ils sentent, en effet, que quelque chose leur manque ; même s'ils ont beaucoup d'argent, cela ne les empêche pas d'être des pauvres sous le rapport de la santé, du bonheur, de la vie spirituelle.

Les richesses ne se transforment en bien-être que si on en use. Un talent est chose morte tant qu'il n'est pas exploité. Faites changer votre billet de banque à la Caisse du ciel et faites-le fructifier dans votre vie.

« Voici, *maintenant,* le temps favorable, voici, *maintenant,* le jour du salut » (1).

---

(1) II Cor. 6 : 2.

LE LION N'ETAIT QU'ANE

LE *plus grand ennemi* du genre humain, c'est *la peur.* Moins vous entretenez de craintes, meilleure est votre santé et plus grande l'harmonie qui vous entoure. Plus vous avez peur, plus les ennuis de tout ordre surgissent dans votre vie. En somme, l'humanité n'a qu'un seul problème à résoudre : vaincre la peur. Quand une situation ne vous effraie nullement, elle ne peut vous nuire.

Souvenez-vous que, sans que vous vous en rendiez nécessairement compte, la peur existe souvent dans votre subconscient. La meilleure preuve que vous vous êtes débarrassé de vos craintes à l'égard d'un sujet particulier, c'est le sentiment de joie et de bonheur que vous éprouvez en y pensant.

Il est essentiel de se souvenir que la peur est un mirage. Considérez-la comme tel et elle s'évanouira.

Il y a quelques années, un incident comique survint en Hollande. Un lion s'échappa d'un cirque ambulant. Dans les environs, une brave ménagère cousait devant sa fenêtre ouverte. Soudain, le fauve sauta dans la pièce, passa à côté d'elle comme un éclair, se précipita dans le vestibule et alla se réfugier dans un placard triangulaire situé sous l'escalier. La bonne dame, ébahie, crut que c'était un âne ; indignée à la vue des marques boueuses laissées sur son plancher immaculé, elle le pourchassa dans le cabinet noir parmi les balais et les bassines, et se mit en devoir de le corriger d'importance à coups de balai. L'animal tremblait de terreur tandis que la brave femme, furieuse, tapait de plus en plus fort.

C'est alors qu'arrivèrent quatre hommes, munis de fusils et de filets qui capturèrent le fauve. Celui-ci, terrifié, se rendit sans résister, trop heureux d'échapper à cette terrible femme.

Quand celle-ci s'aperçut qu'elle avait donné une raclée à un lion, elle s'évanouit et en fut malade pendant plusieurs jours.

Cette anecdote démontre parfaitement l'effet démoralisant de la peur. Notre ménagère domina complètement le lion tant qu'elle le prit pour un âne ; et tant qu'elle le traita comme un âne, le lion crut qu'elle était redoutable et trembla d'effroi devant elle. Quand elle découvrit son erreur, sa terreur ancestrale revint d'un seul coup et, bien qu'elle fût alors en parfaite sécurité, ses réactions concordèrent avec la peur traditionnelle.

Débarrassez-vous de la peur. Braquez sur

elle le feu de vos batteries et tout le reste s'arrangera de soi.

Le traitement contre la peur consiste à prendre conscience de la Présence de Dieu en vous et de Son amour qui jamais ne varie, jusqu'à ce que cela devienne pour vous une réalité.

« Celui qui craint n'est pas parfait dans l'amour » (1).

---

(1) I Jean 4 : 18.

LACHEZ LA BRIDE

LACHEZ la bride ! Comme disait la chanson : « Ne vous en faites pas ». Ne soyez pas inquiet. La tension nerveuse est le plus sûr moyen d'échouer dans toute entreprise, que celle-ci soit importante ou non.

C'est fort bien de vouloir réussir, mais poursuivre le succès trop intensément, c'est être certain de passer à côté. Il est une attitude mentale qui se pourrait comparer à un poing fermé, à des sourcils froncés, à des mâchoires serrées ; cette attitude-là ne saurait susciter la réussite.

Se dégager de toute inquiétude, c'est prendre le raccourci qui conduit au succès. Qu'il s'agisse de musique, de sport, d'études, d'affaires, beaucoup de gens échouent ou progressent lentement parce *qu'ils travaillent avec trop d'acharnement.* Ils réussiraient au delà de leurs espoirs les plus fous s'ils considéraient leurs occupations comme un divertissement.

Travaillez avec plaisir. Considérez les difficultés comme faisant partie du jeu ; riez de vos ennuis ; ils s'enfuiront, tout deviendra plus agréable et le restera. C'est là toute la différence entre le jeu et le travail. Bien des gens se donnent plus de mal pour jouer au golf que pour traiter une affaire, seulement ils ne s'en rendent pas compte puisque pour eux c'est un jeu.

Ne vous en faites pas ! *Lâchez la bride !*

TIREZ PARTI DE VOS DEFICIENCES

REUSSIR consiste à triompher des difficultés. Tous ceux qui ont obtenu des résultats satisfaisants y sont arrivés en surmontant certains obstacles. Quand une situation ne comporte aucune difficulté, n'importe qui peut en venir à bout, mais cela ne s'appelle plus une réussite.

Il fut un temps où établir une ligne télégraphique entre New-York et Boston n'était pas une petite affaire. Puis, ce devint chose aisée, mais la pose du câble atlantique fut considérée, alors, comme un exploit étant donné tous les obstacles qui se présentaient. La pose d'un câble sous-marin devint à son tour une routine, mais envoyer un message par radio à travers l'océan souleva des questions qui, pendant un certain temps, parurent insolubles. Ces difficultés furent vaincues comme les autres.

Il n'est aucun problème personnel dont on ne puisse triompher par un traitement spirituel calme et persévérant et une activité sagement appropriée.

Si vous souffrez d'une déficience qui semble contrecarrer votre réussite, ne l'admettez pas comme telle — mais transformez-la en capital et faites-en l'instrument de votre succès.

A cause de sa mauvaise santé, H. G. Wells fut obligé d'abandonner un travail fastidieux et mal payé. Il resta donc chez lui, écrivit des livres qui eurent beaucoup de succès et devint un auteur connu dans le monde entier. Edison, lui, était sourd comme un pot. Il estima que cela lui permettrait de mieux se concentrer sur ses recherches. Beethoven composa des chefs-d'œuvre malgré sa surdité. Théodore Roosevelt fut un enfant chétif, myope et très nerveux. On l'avait averti qu'il devrait mener une vie retirée. Au lieu d'accepter ces prévisions, il se donna beaucoup de mal pour se développer physiquement et devint, comme chacun sait, un homme vigoureux, grand amateur de vie en plein air et chasseur de gros gibier.

A Londres, la propriétaire d'une maison de couture réputée était autrefois la femme d'un employé besogneux qui devint tuberculeux. Elle n'avait jamais été dans les affaires, et n'avait pas été préparée à gagner sa vie quand elle dut, tout à coup, subvenir aux besoins de son mari et de ses deux enfants. Elle débuta avec rien, sauf son bon goût et sa foi en la prière. C'est maintenant une femme heureuse et fort riche. « J'ai pensé, explique-t-elle, que j'aurais du plaisir à vendre le genre de robes que je n'avais jamais pu me permettre d'acheter ».

Quelle que soit l'inaptitude que vous croyez avoir, *transformez-la en capital.* Tout problème personnel semble toujours particulièrement ardu à résoudre, mais un traitement spirituel, une courageuse détermination viennent à bout de tout.

Les difficultés sont des poteaux indicateurs qui jalonnent la route menant à Dieu.

N'ACCUSEZ PAS LE VIRTUOSE

CE qui nous arrive est le résultat de notre manière de concevoir les choses. Voilà pourquoi il n'y a pas deux personnes pour qui le monde soit semblable et pourquoi, aussi, autant il y a de gens, autant leur façon de considérer la vie est différente. Autrement dit, ce qui nous entoure dépend de notre façon de penser et la concrétise. Il s'en suit que si notre pensée est erronée, les circonstances de notre vie seront mauvaises, elles aussi, tant que nous n'aurons pas réformé notre façon de penser. Nous efforcer d'améliorer le monde qui nous entoure est donc parfaitement inutile, si nous ne modifions pas notre mentalité.

Imaginons, par exemple, un sourd se rendant dans une salle de concert pour y entendre un grand violoniste, ce qui déjà serait assez ridicule de sa part. Installé aux fauteuils d'orchestre, il ne perçoit aucun son. Très ennuyé, il change son billet contre une place au premier balcon. Là, évidemment, il n'entend pas mieux et croyant, stupidement, que l'acoustique de la salle est en cause, il va prendre place au dernier balcon, sans succès, — naturellement. Il finit par s'asseoir au premier rang, à quelques mètres du violoniste, et, comme il n'est pas mieux partagé, il se décide à quitter la salle en tempêtant, et en disant que le violoniste ne vaut rien et que, du reste, la salle n'est absolument pas indiquée pour y faire de la musique.

Nous comprenons sans peine que l'inconvénient dont souffre ce pauvre homme réside en lui-même et qu'il ne peut y remédier en changeant simplement de siège. *La seule chose qu'il doive faire, c'est triompher de sa surdité* d'une manière ou d'une autre, ce qui lui permettra ensuite de jouir de la musique. Mais, c'est lui qui doit changer d'abord.

Cet apologue s'applique littéralement à tous les problèmes de la vie. L'inharmonie nous frappe parce que nous souffrons d'une déficience spirituelle. A mesure que se développe notre compréhension spirituelle, la vraie nature de l'Etre s'épanouit. Mais tant que nous allons d'ici, de là, en quête d'harmonie ou que nous essayons de la susciter en modifiant les conditions extérieures, nous sommes semblables à ce pauvre homme qui, ne pouvant entendre le violoniste, court en vain du haut en bas du théâtre.

LES TROIS DONS

LORSQUE naissait un petit prince, lisons-nous souvent dans les contes de jadis, les fées invitées à son baptême lui apportaient des présents. Nous sommes tentés de nous demander ceux que nous aurions choisis, si en l'occurrence on nous avait consultés. Autrement dit, quels sont les trois plus précieux dons qu'un enfant puisse recevoir à sa naissance ?

Pour ma part, je propose les suivants : une bonne constitution, un bon caractère et du bon sens. Je crois qu'un enfant doué de ces trois qualités rencontrerait peu de difficultés dans la vie.

Je donne la première place à une bonne constitution, car la santé est le plus grand des biens. Sans elle, le reste n'a guère de valeur, tout le monde le sait.

D'autre part, les gens ne se rendent pas toujours compte à quel point un bon caractère « huile les rouages » et facilite la vie de tous les jours. Ils ne comprennent pas que, grâce à une humeur agréable, on se fait tout naturellement des amis. Un bon caractère évite la critique, le ressentiment, la condamnation, la jalousie et tous les éléments négatifs qui gâtent la vie.

Enfin, j'en arrive au bon sens. Je crois que ce que l'on appelle le « sens commun » a plus d'importance que n'importe quelle aptitude et même que les plus grands talents. Il est plus efficace pour tirer, garçons et filles, d'embarras que toute l'instruction qu'on peut leur donner. Nous avons tous connu des gens extrêmement brillants qui, apparemment, semblaient doués pour réussir dans la vie et qui firent naufrage, faute de bon sens.

Supposons, maintenant, que vous ayez l'impression d'être dépourvu de l'un de ces dons, comment pourrez-vous y remédier ? Eh bien, Jésus-Christ a enseigné que toute bonne chose demandée en priant nous est accordée. Si vous désirez l'un des dons énumérés plus haut, priez à cet égard, demandez-le. Edifiez-le dans votre nature, en agissant en toute circonstance, comme si vous le possédiez.

« Tout ce que vous demandez en priant, croyez que vous l'avez reçu et vous le verrez s'accomplir » (1).

---

(1) Marc 11 : 24.

LA QUEUE DU CHIEN

L'HOMME est maître de sa vie. La Bible dit que Dieu lui a donné « la domination sur toutes choses » ; cela est vrai quand il comprend la Vérité. Or, la Vérité c'est que ce qui vous entoure — les circonstances extérieures sont, ni plus ni moins, l'expression de votre mentalité. Elles ne sont pas causes mais effets. Elles ne se manifestent pas d'abord, mais sont des conséquences. Changez vos pensées et vos sentiments et les conditions extérieures se modifieront en conséquence ; il n'y a pas moyen, vraiment, de s'y prendre autrement. Ce n'est pas parce que vous vous portez bien que vous êtes heureux. Vous vous portez bien parce que vous êtes heureux. Vous n'avez pas la foi parce que tout va bien ; non, tout va bien parce que vous avez la foi. Vous n'êtes pas déprimé parce que vous avez des ennuis, mais vous avez des ennuis parce que votre conscience de la Vérité s'est affaiblie.

Le secret de la vie consiste donc à surveiller votre état d'esprit ; si vous le faites, le reste s'en suivra. Accepter la maladie, les soucis, l'échec comme étant inévitables et même inéluctables, est folie car c'est justement votre acceptation de ces maux qui les fait subsister. *L'homme n'est pas limité par son milieu.* C'est lui qui le crée par ses opinions et ses sentiments. Supposer le contraire, c'est s'imaginer que ce n'est pas le chien qui agite sa queue mais que c'est la queue qui agite le chien.

Si vous avez cru que les faits extérieurs sont plus forts que vous ne l'êtes et qu'ils peuvent vous empêcher de trouver votre mode d'expression comme Dieu le veut, dites-vous : *C'est la queue qui agite le chien !* et changez immédiatement votre manière de voir.

Dieu entend que vous soyez bien portant, heureux et libre ; vous ne devez donc pas vous contenter de moins. Affirmez que Dieu œuvre par votre intermédiaire — croyez-le — dès lors, rien ne vous empêchera d'aller de l'avant.

« *Qui vous a arrêtés pour vous empêcher d'obéir à la vérité ?* » (1).

---

(1) Galates 5 : 7.

ETES-VOUS DYNAMIQUE ?

QU'EST-CE qu'une personne dynamique ? Bien des gens aimeraient être qualifiés de dynamiques mais, on dirait qu'ils n'ont pas une idée très claire de ce que signifie cette expression. Certains s'imaginent, parfois, que cela implique une attitude quelque peu agressive et bruyante ou même un peu d'esbrouffe. Pour d'autres, être dynamiques, c'est attirer sur soi l'attention d'une manière moins patente, mais tout aussi efficace. En réalité, rien n'est plus éloigné de la vérité.

Une personne dynamique est quelqu'un qui compte dans le monde ; qui exerce vraiment une influence sur les gens et les événements. Ce qu'elle fait n'est peut-être pas très important ; il n'en reste pas moins vrai que tout sera un peu différent du fait que cette personne aura vécu et accompli sa tâche.

Des hommes dynamiques comme saint Paul, Washington ou Napoléon changent la destinée et la vie de millions d'êtres, et leurs hauts faits sont universellement connus. Cependant, il y a par le monde, bien des hommes et des femmes dont le rôle demeure inconnu de tous ou presque, et qui, à leur échelle, sont dynamiques parce que dans leur petite sphère, ils ont, en réalité, contribué à transformer le monde si peu que ce soit.

Quand vous accomplissez une œuvre — si petite soit-elle — vous êtes dynamique et le monde est différent parce que vous avez vécu. Si vous faites semblant d'agir ou vous contentez de parler de ce que vous allez faire ou construisez des châteaux en Espagne, vous n'êtes pas dynamique ; vous jouez la comédie. Vous êtes une coquille vide ; personne ne désire être que cela.

UN ETRE DYNAMIQUE

ACCOMPLIR quoique ce soit d'une manière nouvelle et meilleure, c'est cela être dynamique. Faire pousser deux grains de blé où n'en venait qu'un auparavant, créer une affaire florissante qui rend service au public et fait travailler autrui, c'est être dynamique, de même que composer de la belle musique, écrire des poèmes, peindre ou sculpter des œuvres de valeur, faire une découverte utile. Celui qui opère des guérisons ou dont l'enseignement est efficace est dynamique, lui aussi.

Tous ceux qui, de la sorte, ont fait preuve de dynamisme ont, dans un certain sens, laissé le monde un peu différent de ce qu'il était avant eux. Washington a changé le cours de l'histoire, or vous pouvez transformer la vie d'un autre, simplement par votre exemple, ou en le guérissant et en lui enseignant la Vérité. Ce qui importe seulement, c'est que le changement effectué comporte une amélioration.

Certaines personnes sont assez ridicules pour se contenter d'être *considérées* comme dynamiques ; il leur suffit de le paraître et d'employer leur énergie à créer des apparences. Elles font les importantes et parlent beaucoup — quoique d'une manière assez vague, forcément, — des choses extraordinaires qu'elles font ou ont faites... au loin... naguère ! Elles sont portées à donner de grands noms aux petites choses et tout cela n'est, en somme, qu'une forme subtile du bluff — c'est le contraire du dynamisme.

Le secret d'une personnalité dynamique consiste à *être certaine que Dieu œuvre par son intermédiaire,* quelles que soient ses occupations, à Le servir avant tout, à être aussi sincère, aussi positive et utile qu'elle en est capable. Si vous voulez bien appliquer cette méthode, ne fût-ce que pendant peu de temps, vous serez surpris des résultats remarquables que vous obtiendrez et, vous vous apercevrez en outre que vous êtes en train de devenir une personne fort dynamique.

Rendre service, réellement, c'est vivre vraiment !

« C'est à leurs fruits que vous les reconnaîtrez » (1).

(1) Matthieu 7 : 20.

VOUS LEURREZ-VOUS ?

L'ENSEIGNEMENT de Jésus-Christ est un vivant évangile. Il opère vraiment des transformations. Il change la vie de l'individu et celle-ci devient absolument différente de ce qu'elle aurait été autrement — il ne saurait y avoir de meilleure preuve.

Ceux qui ne comprennent pas notre enseignement disent parfois que nous nous leurrons ; que nous feignons d'être en bonne santé quand nous sommes malades, et prétendons que tout va bien, quand, au contraire, tout va de travers. Ils se figurent que, semblables à Pollyanna (1), nous essayons de nous suggestionner en appelant blanc ce qui est noir.

Rien n'est plus faux, naturellement. Cette manière d'agir ne mettrait pas en pratique l'enseignement de Jésus-Christ. Nous avons compris qu'en nous détournant de l'image négative pour ne voir que la Vérité positive et nous en tenir à elle, consciemment, nous modifions avantageusement l'image. Et pour chaque cas, ceci constitue la pierre de touche.

Faites la preuve. Si l'image extérieure change, vous êtes dans la bonne voie. Vous ne vous leurrez pas et ne vous abandonnez pas non plus, à un excès d'émotivité. Par contre, si l'image ne se modifie pas en un temps raisonnable, c'est, en effet, que vous vous faites des illusions. Votre travail mental laisse à désirer ; vous feriez bien de réviser votre méthode. Il est possible que les modifications extérieures soient incomplètes ou même relativement peu importantes, mais du moment qu'un changement s'effectue, vous ne vous abusez pas, vous êtes en train d'obtenir des résultats. *Il n'y a point de démonstrations invisibles.* Votre mentalité se démontre à chaque instant sur le plan extérieur des apparences. Excuses, illusions, faux fuyants sont vains quand nous savons que l'image extérieure exprime, sans appel, la vérité.

Grâces soient rendues à Dieu pour cette admirable Vérité, car elle nous offre une méthode infaillible pour triompher des limites et de l'erreur.

« On les reconnaît à leurs fruits » (2).

---

(1) Personnage principal d'une suite de romans américains qui, systématiquement, ne voulait voir que le bon côté des choses.

(2) Matthieu 7 : 20.

PREVISION ET RETROSPECTION

QUAND vous devez prendre une décision ou agir d'une certaine manière, vous ne pouvez le faire qu'en vous conformant de votre mieux à ce que vous savez à ce sujet *au moment même ;* si vous procédez de la sorte, vous avez fait votre devoir. Les événements peuvent, par la suite, montrer que vous vous êtes trompé, mais ce n'est pas votre faute, car vous ne pouviez vraiment faire mieux, étant donné vos connaissances *du moment.* L'homme le plus sage qui ait jamais vécu n'en aurait pas fait davantage.

C'est pourquoi il est absurde de déplorer les fautes passées quand on les a commises de bonne foi. Faire de la rétrospection est à la portée de n'importe quel imbécile ; ce qui est difficile, c'est de prévoir sagement.

Faites ce qui vous semble préférable, au moment même, après avoir considéré toutes les circonstances, dans la mesure où elles vous sont connues, puis, n'ayez aucun regret.

Ceux qui étudient la métaphysique prient naturellement, toujours, afin d'être éclairés avant de prendre une grave décision. Affirmez que le Christ vous guide et *croyez-le ;* en fin de compte, les résultats seront favorables, même si les apparences ont été décevantes pendant un certain temps — à la condition, toutefois, que vous soyez vraiment convaincu de ce que vous affirmez.

LE SOURIRE EST UN BON PLACEMENT

BIEN des gens ont l'intuition que, dans la vie, les choses les plus simples sont les plus importantes ou, si vous préférez, que les choses les plus importantes sont, après tout, les plus simples. Ils ont fait là une profonde découverte. Est-il rien de plus capital pour nous que la respiration, par exemple ? Pourtant, nous ne lui accordons que rarement une pensée — l'air pur ne coûte pas un sou — mais si nous en sommes privés, nous ne tardons pas à mourir.

Il est une autre chose toute simple qui est essentielle : c'est le sourire. Un sourire ne coûte rien — ni argent, ni temps, ni effort, mais c'est absolument vrai qu'un sourire peut être dans la vie d'une suprême importance. Un sourire agit sur votre corps de la peau au squelette, y compris les reins, les nerfs et les muscles. Son effet se répercute sur le fonctionnement de toutes vos glandes et de tous vos organes. Je le répète — et c'est une vérité indéniable — vous ne pouvez sourire sans que tout votre corps n'en ressente l'effet favorable. Il suffit même d'un sourire pour détendre une quantité de muscles et quand, sourire est chez vous une habitude, vous pouvez vous figurer l'importance du résultat. *Les sourires de l'année dernière payent leur dividende aujourd'hui.*

L'effet d'un sourire sur autrui n'est pas moins remarquable. Il désarme les soupçons, dissipe la peur et la colère et fait surgir chez les autres le meilleur d'eux-mêmes — ce meilleur d'eux-mêmes dont ils vous font bénéficier immédiatement.

Le sourire est, dans les rapports entre humains, ce que l'huile est pour les machines, or un ingénieur avisé n'a garde de négliger la lubrification.

LES GRANDES LOIS MENTALES

I. — *La Loi de substitution*

IL y a quelques grandes lois qui gouvernent toute la pensée, de même qu'il existe quelques lois fondamentales en physique, en chimie et en mécanique, par exemple.

Nous savons que la maîtrise de la pensée est la clef de la destinée ; or, pour savoir diriger notre pensée, il faut que nous apprenions et comprenions ces lois, comme le chimiste et l'électricien doivent connaître et comprendre celles qui régissent la chimie et l'électricité.

L'une de ces lois fondamentales est la Loi de *Substitution*. Cela veut dire que la seule manière de se débarrasser d'une certaine pensée, c'est de la remplacer par une autre. On ne peut la chasser, en effet, sans opérer cette substitution. Il n'en va pas de même sur le plan physique. Vous pouvez laisser tomber un livre ou une pierre en ouvrant simplement la main, mais en ce qui concerne la pensée, c'est tout différent. Pour écarter une pensée négative, il faut que vous pensiez à quelque chose de positif et de constructif. C'est comme si nous disions que pour pouvoir lâcher le crayon que nous tenons dans la main, il faut le remplacer par une plume ou par un livre au moment où il tombe.

Si je vous dis : « Ne pensez pas à la statue de la Liberté », il est évident que vous l'évoquez à l'instant même. Déclarer : « Je ne pense pas à la statue de la Liberté », c'est y penser. Mais si, ensuite, vous vous intéressez à quelque chose d'autre, si vous écoutez la radio par exemple, vous oublierez la statue de la Liberté. Vous aurez opéré une substitution.

Quand des pensées négatives vous assaillent, ne les combattez pas, mais évoquez quelque chose de positif. Pensez de préférence à Dieu, naturellement. Cependant, si cela vous est difficile à ce moment-là, absorbez-vous dans une idée positive et constructive, et votre pensée négative s'évanouira.

Il arrive, parfois, que des pensées négatives nous assaillent avec une telle violence que nous ne pouvons les dominer. C'est ce que l'on appelle une crise de dépression, un accès de tristesse ou de colère. Ce qui vaut le mieux, en pareil cas, c'est d'aller se changer les idées chez quelqu'un, d'assister à un spectacle intéressant ou de se plonger dans un livre captivant : un bon roman, une biographie, un récit de voyage. Si vous restez seul aux prises avec le courant négatif, vous ne réussirez probablement qu'à l'amplifier.

Tournez votre attention vers un sujet tout à fait différent et refusez-vous énergiquement à penser à la cause de votre préoccupation. Plus tard, quand vous aurez retrouvé votre calme, vous pourrez y revenir pour le soumettre, avec confiance au traitement spirituel. « Je vous dis de ne pas résister au mal » (1).

---

(1) Matthieu 5 : 39.

LES GRANDES LOIS MENTALES

II. — *La Loi de décontraction*

UNE autre des grandes Lois mentales est la Loi de Décontraction. Dans tout travail mental, *l'effort se détruit de lui-même.* Plus vous faites d'efforts, moins vous obtenez de résultats. C'est l'opposé, évidemment, de ce que l'on constate sur le plan physique, mais nous n'en sommes pas surpris. Nous n'ignorons pas, en effet, qu'en bien des cas, les lois de l'esprit sont le contraire de celles qui régissent la matière.

Généralement, sur le plan physique, plus on se donne de mal, plus satisfaisants sont les résultats. Plus vous appuyez sur votre foret, plus vite vous percez votre planche ; plus forts sont vos coups de marteau, plus rapidement vos clous pénètrent dans le mur. Plus vous travaillez énergiquement, plus vite vous creusez un fossé. Cependant, en ce qui concerne la pensée, il se passe exactement le contraire.

Toute tension mentale est condamnée d'avance à l'échec, car dès qu'elle se fait sentir, la fonction créatrice du cerveau s'arrête et il revient à ses vieilles habitudes. Quand vous tentez de forcer ou de précipiter mentalement les choses, vous paralysez votre puissance créatrice. Pour que votre esprit puisse se remettre à créer, il faut que vous le « dé-tendiez » par un repos conscient.

Pour effectuer tout travail mental, soyez détendu, procédez avec modération, sans vous hâter, vous souvenant que *l'effort se détruit de lui-même.*

« C'est dans le calme et la confiance que sera votre force » (1).

---

(1) Esaïe 30 : 15.

LES GRANDES LOIS MENTALES

III. — *La Loi de l'Activité subconsciente*

DES que le subconscient a accepté une idée, il s'efforce immédiatement de la mettre à exécution. Il fait appel à toutes ses ressources (celles-ci sont infiniment plus grandes que nous le supposons ordinairement) pour atteindre son but. Il se sert, pour arriver à ses fins, de toutes les connaissances que vous avez rassemblées, connaissances que vous avez totalement oubliées dans l'ensemble. Il mobilise les multiple facultés mentales que vous possédez, sans vous servir consciemment de la plupart d'entre elles. Il puise dans les réserves illimitées de l'esprit humain. Pour obtenir ce qu'il cherche, il met en ligne toutes les lois de la nature dont vous dépendez, intérieurement et extérieurement.

Parfois, il atteint son but immédiatement. Cela lui prend peu de temps ou très longtemps selon les difficultés qu'il doit surmonter. A moins que cela ne soit absolument impossible, le subconscient atteindra son objectif *à condition qu'il en ait accepté l'idée.*

Cette loi est également vraie pour les idées

bonnes et pour les mauvaises. Appliquée négativement, la loi engendre la maladie, les soucis et l'échec ; par contre, appliquée d'une manière positive, elle suscite la guérison, la liberté, la réussite. La Bible ne nous enseigne pas que l'harmonie est inévitable quel que soit notre comportement — cela, c'est le point de vue de Pollyanna — mais elle nous montre que l'harmonie règne infailliblement quand nos pensées sont positives, constructives et bienveillantes.

Nous pouvons donc conclure que la seule chose que nous ayons à faire — c'est d'amener notre subconscient à accepter les idées que nous désirons voir se manifester sur le plan matériel, et les lois de la nature feront le reste ; elles susciteront un corps sain, des circonstances agréables, une carrière couronnée de succès. Nous donnons les ordres — le subconscient les exécute.

LES GRANDES LOIS MENTALES

IV. — *La Loi de l'expérience pratique*

LA perfection s'acquiert par la pratique. Ce proverbe familier résume une des grandes lois de l'humaine nature et, puisque c'est une loi, elle ne souffre aucune exception.

Pour être expert en quoique ce soit, il faut de la pratique. Il n'est, sans cela, pas de perfection possible, et plus vous vous exercez — à condition que ce soit intelligemment, plus grands seront vos progrès et plus vite vous atteindrez le but. Cela est vrai, aussi bien pour l'étude de la musique que pour celle des langues étrangères ou pour apprendre à nager, à patiner, à faire du ski ou de l'avion. Oui, cela est juste dans tous les domaines où l'esprit humain exerce son activité. *La pratique est le prix du progrès.*

En affaires, dans l'Administration, sur tous les plans, *l'expérience* est la forme que prend cette pratique et, là aussi, c'est par l'exercice qu'on arrive à la perfection. Voilà pourquoi, toutes les autres conditions étant remplies, on s'adresse à quelqu'un d'un certain âge, de préférence à un jeune, pour assumer les responsabilités d'un poste important.

En métaphysique, les effets de cette Loi sont particulièrement frappants. La maîtrise de la pensée est entièrement affaire de pratique intelligente. La vraie religion peut se définir : La Pratique de la Présence de Dieu. Veuillez remarquer que j'ai dit une *pratique, un exercice intelligents.* Ni la contrainte violente, ni le labeur monotone ne sont des exercices intelligents.

La pratique est la condition de la réussite. Nous pourrions nous écrier, en paraphrasant Danton. — De la pratique, encore de la pratique, toujours plus de pratique !

« Mettez en pratique la parole, ne vous contentez pas de l'écouter » (1).

---

(1) Jacques 1 : 22.

LES GRANDES LOIS MENTALES

V. — *Les deux éléments*

TOUTE pensée est formée de deux éléments : le savoir et le sentiment. Elle se compose d'une certaine connaissance chargée de sentiment et c'est ce dernier seulement qui donne du pouvoir à la pensée. Si importantes ou si extraordinaires que soient vos connaissances, si elles ne sont pas complétées par le sentiment, rien ne se passera. D'autre part, l'importance ou l'insignifiance de vos connaissances n'est pas essentielle ; si elles sont animées par un sentiment profond, quelque chose surviendra, certainement.

Cette loi universelle est symbolisée dans la nature par l'oiseau. Celui-ci a deux ailes — ni plus, ni moins — et il faut que chacune d'elles remplisse ses fonctions pour qu'il puisse voler.

Il est indifférent que vos connaissances soient justes ou non, à condition que vous *croyiez* qu'elles sont justes. Souvenez-vous que ce qui est capital, ce sont vos convictions réelles. Un rapport fait sur un sujet quelconque peut être absolument faux, mais si vous y ajoutez foi, l'effet produit sur vous est le même que s'il était vrai ; par ailleurs, cet effet dépendra de la force des sentiments qui s'y rattachent.

Quand vous comprenez cette loi, vous saisissez l'importance qu'il y a à n'accepter que la Vérité concernant la vie, dans toutes les circonstances dont vous faites l'expérience. « Vous connaîtrez la Vérité et la Vérité vous affranchira ». Vous vous rendez compte maintenant pourquoi les sentiments négatifs (peur, critique, etc...) sont si destructeurs, alors que la paix et la bonne volonté ont un tel pouvoir de guérison.

LES GRANDES LOIS MENTALES

VI. — *L'objet de vos pensées s'identifie*

LES choses auxquelles vous attachez votre pensée prennent de l'importance. Cette maxime de l'Orient résume avec subtilité la plus grande et la plus fondamentale des Lois de l'Esprit.

L'objet de vos pensées s'intensifie. Tout ce qui vous occupe l'esprit prend une grande importance dans votre vie. Que le sujet qui vous absorbe soit bon ou mauvais, la loi produit également ses effets et les circonstances bonnes ou mauvaises s'accentuent. Par contre, ce que vous écartez de votre esprit tend à se minimiser et à s'atrophier comme tout ce qui est inutilisé.

Plus vous vous appesantirez sur votre indigestion, vos rhumatismes, plus ils s'aggraveront. Plus vous considérerez que vous êtes bien portant et que tout va bien, meilleure sera votre santé physique.

Plus vous penserez à la pauvreté, à la dureté des temps, etc..., plus l'état de vos affaires empirera. Par contre, plus vous évoquerez en pensée la prospérité, l'abondance, la réussite, plus elles apparaîtront dans votre vie.

Plus vous vous absorberez dans vos ennuis ou les injustices que vous avez subies, plus vous aurez d'épreuves à supporter encore, tandis que plus vous penserez aux aubaines que vous avez eues, plus il en surgira dans l'avenir.

Cette loi est fondamentale. Elle englobe toutes les autres Lois de l'Esprit et, en vérité, n'importe quel enseignement psychologique ou métaphysique n'est, en somme, que le développement de cette pensée. *L'objet de vos pensées s'intensifie* (1).

---

(1) Lisez Philippiens 4 : 8.

LES GRANDES LOIS MENTALES

VII. — *La Loi du pardon*

UNE loi mentale inflexible exige que vous pardonniez aux autres, si vous voulez triompher de vos difficultés et faire des progrès spirituels réels.

L'importance capitale du pardon peut ne pas vous frapper à première vue, mais soyez certain que ce n'est pas par hasard que les grands maîtres spirituels, de Jésus-Christ à nos jours, ont insisté si fort sur ce point.

Vous devez pardonner les offenses, pas seulement en paroles et par pure formalité, mais sincèrement et de tout votre cœur. Or, si vous agissez de la sorte, ce n'est pas par amour pour votre prochain, mais pour votre bien, à vous. Cela sera sans conséquences pour celui à qui vous accordez votre pardon (à moins qu'il n'y tienne tout particulièrement) mais pour *vous*, cela aura une grande importance. La rancune, la condamnation, la colère, le désir du châtiment d'autrui sont des sentiments qui corrompent l'âme, quelle que soit l'adresse avec laquelle vous les déguisez. Ceux-ci, parce qu'ils provoquent une émotion plus grande qu'on ne le soupçonne, vous rivent à vos difficultés. Ils vous enchaînent même à de nombreux ennuis qui, vraiment, n'ont aucun rapport avec vos revendications initiales.

Pardonner n'implique pas que vous êtes obligé d'aimer celui qui vous a nui, ni que vous deviez désirer le revoir, mais simplement que vous lui souhaitez du bien. On ne vous demande pas, évidemment, de vous transformer en « paillasson ». Ne permettez pas qu'on vous en fasse accroire ou qu'on agisse mal à votre égard. Livrez vos batailles personnelles, armé de la prière, de la justice et de la bonne volonté. Il importe peu que vous oubliiez ou non le tort que l'on vous a fait — vous y arriverez probablement, si vous cessez d'y penser — *mais vous devez pardonner.*

Et maintenant, réfléchissez à nouveau à l'Oraison Dominicale.

AVEZ-VOUS UN PETIT DIEU PERSONNEL?

LA Bible nous enseigne : « Dieu est Esprit. Il faut que ceux qui l'adorent l'adorent en esprit et en vérité » (1). Cela signifie évidemment que Dieu est Perfection et ne fait acception de personne. Dieu ne favorise pas l'un plus que l'autre, Il n'aide pas celui-ci de préférence à celui-là. En vérité, le désir même de posséder une chose appartenant légitimement à son prochain, constitue un péché grave que condamne ce commandement : « Tu ne convoiteras point ». Si une personne possède quelque chose qui vous fait envie, soyez-en heureux et dites : « Je suis en contact avec la source d'où provient cette chose et Dieu m'en donnera l'équivalent ou mieux encore ». Certaines personnes superficielles s'efforcent souvent, dirait-on, de se servir de Dieu, sans comprendre à quel point cette idée est absurde. Elles essayent de se servir de leur religion pour arriver à leurs fins et voudraient utiliser la Vérité spirituelle selon leur convenance, au lieu de se conformer aux Lois de l'Etre. Elles ont la prétention de croire que Dieu veut ce qu'elles désirent, et qu'Il est disposé à le leur accorder de la manière qui leur sera le plus agréable. Très souvent aussi, elles s'imaginent que Dieu veut que les autres obtempèrent à leurs caprices. Elles se sont fait *un petit Dieu commode,* habitué à leur obéir ; or, ce genre d'idole ne peut guère amener que souffrance et chagrin.

Adorer le vrai Dieu, conformer sa vie à Sa volonté, voilà le seul moyen de connaître la liberté, la santé et l'harmonie.

---

(1) Jean 4 : 24.

QU'EST-CE QUE LA NATURE ?

CE que nous appelons la nature est la petite partie de l'univers de Dieu que nous sommes capables de percevoir pour le moment, d'une manière en général assez confuse, du reste. Tout ce qui se passe de merveilleux au fond des bois, les faits prodigieux qui ont pour théâtre les abîmes de l'océan, l'histoire grandiose que racontent les cieux, sont des aspects de la manifestation de Dieu. Notre corps, enfin, fait partie de la nature dont il est l'élément peut-être le plus extraordinaire, et celui que nous connaissons le moins bien. Avec le temps, l'homme apprend de mieux en mieux à découvrir la nature, et cette étude constitue ce que nous nommons la science.

On ne peut penser sans ironie que, tandis que l'homme apprend, chaque jour, à connaître davantage la nature, qu'il n'ignore pas la composition des étoiles les plus lointaines et celle de l'atome le plus infime, qu'il peut irriguer les déserts et dompter le Niagara, il reste impuissant à l'égard de lui-même et ne peut rien pour ce qui a le plus d'importance pour lui. Dans la plupart des cas, il est incapable de vaincre la peur, la souffrance, de triompher des maladies les plus communes, de dissiper sa colère ou sa tristesse ou de se servir efficacement de ses facultés mentales.

Tout ceci parce qu'il a cherché la domination en dehors de lui-même au lieu de la trouver en lui et qu'il a pris pour la cause ce qui n'était en réalité que l'effet.

La domination, chacun de vous doit la découvrir en son esprit. Faites-y régner la paix. Cultivez votre compréhension de Dieu en cherchant quotidiennement Sa présence, et vous vous apercevrez que les faits extérieurs n'ont pas besoin que vous vous préoccupiez d'eux.

« Cherchez premièrement le royaume de Dieu et sa justice et toutes ces choses vous seront données par surcroît » (1).

---

(1) Matthieu 6 : 33.

LE CAPITAINE EST A SON POSTE

LE monde ne va pas à sa ruine. L'humanité n'est pas condamnée. La civilisation ne court pas le risque de s'effondrer. *Le capitaine est à son poste.* L'humanité passe par des temps difficiles, mais elle en a traversé d'aussi graves au cours de sa longue histoire et, chaque fois, en est sortie fortifiée et purifiée.

Ne vous tourmentez pas au sujet de la désagrégation de l'univers. Il n'en est pas question et, de toute façon, cette affaire n'est pas de votre ressort. *Le capitaine est à son poste.* Si la survivance de l'humanité ne dépendait que de vous ou moi, la Grande Entreprise serait fort compromise, ne croyez-vous pas ?

Quand vous avez fait de longues traversées en mer, vous ne vous êtes jamais demandé si vous arriveriez sain et sauf — vous aviez absolument confiance en le commandant du bateau. Vous saviez que les Compagnies de navigation américaines ou françaises ne confient pas leurs navires à des capitaines inexpérimentés. Si en vous éveillant la nuit, vous sentiez le bateau tanguer, vous ne vous précipitiez pas sur le pont pour recommander au capitaine d'être prudent, de redoubler d'attention, ou pour lui demander s'il était sûr de sa route. Vous restiez dans votre cabine, et vous rendormiez tranquillement, parce que vous saviez que le commandant était à son poste.

Le capitaine est à son poste. Dieu continue à veiller à tout. Vous n'avez rien d'autre à faire qu'à prendre conscience de Sa présence lorsque surgissent des difficultés et à accomplir votre devoir le mieux possible jusqu'à ce que l'orage soit passé.

« Il y a beaucoup de paix pour ceux qui aiment ta loi, et il ne leur arrive aucun malheur » (1).

---

(1) Psaume 119 : 165.

LE FLUX ET LE REFLUX

NOTRE développement spirituel ne s'opère pas d'une manière régulière et uniforme. La nature humaine ne procède pas de la sorte. Sur le sentier qui mène à la perfection, personne ne suit une marche ascendante constante. Il se passe ceci — à condition que nous travailliions comme il se doit — nous montons, mais avec des séries de dégringolades suivies de progrès. Nous allons fermement de l'avant pendant un certain temps pour ensuite reculer un peu. Nous reprenons notre marche, puis nous nous heurtons à un obstacle qui nous retarde et ainsi de suite.

Tant que le mouvement général de notre vie est ascendant, ces retards survenus entre temps n'ont pas d'importance. Par contre, le fait de nous en tourmenter outre mesure est susceptible de devenir pour nous une sérieuse entrave.

La marée monte et redescend. Chacun a pu en observer les différentes phases. La première vague avance, avance, tant qu'elle n'a pas atteint un certain niveau, on dirait qu'elle ne s'arrêtera jamais. Elle arrive à un point mort cependant, puis recule. Quelqu'un de mal informé pourrait s'imaginer qu'il ne se passera rien d'autre. Il n'en est rien. La vague recule un peu sans atteindre, pourtant, l'endroit d'où elle était partie, puis elle repart en avant et cette fois va un peu plus loin que précédemment, et le phénomène se poursuit jusqu'à ce que la marée soit étale.

Ce mode de progression paraît être général dans la nature — avance suivie d'un petit recul, puis progrès plus marqué accompagné d'un autre léger retour en arrière ; le progrès devient toujours plus sensible bien que les reculs continuent.

Que votre attention ne se fixe pas seulement sur le recul de la vague, mais observez le flot ascendant de la marée et tout ira bien.

« La joie de l'Eternel est votre force » (1).

---

(1) Néhémie 8 : 10.

LE MILLE-PATTES

N'ANALYSEZ pas trop minutieusement les choses. Disséquer un être vivant, c'est le tuer et perdre ce qui existait primitivement. Prenez une rose dans un vase, arrachez-en les pétales ; comptez-les ; pesez-les ; mesurez-les; vous acquerrez de la sorte des renseignements intéressants mais vous n'aurez plus de rose.

L'analyse, fort indiquée dans certains cas, est fatale par contre quand il s'agit de la prière et de la méditation. Ne disséquez pas l'amour de Dieu, mais sentez-le. Ne disséquez pas la divine Intelligence, prenez-en conscience. Priez davantage avec votre cœur et moins avec votre cerveau. Ne vous demandez pas comment Dieu pourra résoudre tel ou tel problème, mais contentez-vous de Le voir à l'œuvre selon Ses voies ; Il agira certainement si vous le Lui permettez.

Dans la vie, ceux qui réussissent dans n'importe quelle carrière, obéissent surtout à leurs sentiments, sans perdre de temps à les discuter et à les analyser. Quand un journaliste demande à un personnage en vue de lui révéler le secret de sa réussite, ce dernier ne le peut guère. Il ne le sait pas lui-même. Il fait ce qui est indiqué, tout simplement parce qu'il sent qu'il doit agir de la sorte.

Vous savez que Dieu est amour. Vous savez que Dieu peut tout. Vous savez qu'Il vous aide quand vous avez confiance en Lui. Voilà qui suffit pour aller de l'avant, ne vous perdez pas dans les théories.

Rappelez-vous cette petite poésie :

Un mille-pattes vivait heureux
Jusqu'à ce qu'une grenouille facétieuse
Lui dise : « Dans quel ordre se meuvent tes pattes ! »
Sidéré par cette question,
Il resta perplexe en sa rigole
Ne sachant plus comment marcher.

Pas de théories ! Ne faites pas comme le mille-pattes.

UTILISEZ CE QUE VOUS AVEZ

DE nombreuses personnes me disent : « Je voudrais faire de plus rapides progrès ; acquérir une compréhension plus profonde ». En général, elles me demandent ensuite une liste de livres à lire ou l'adresse d'un « Cours avancé » qu'elles pourraient suivre.

Cette attitude est tout à fait erronée. Elle implique que le progrès spirituel est une question d'activité intellectuelle, une simple augmentation de connaissances.

Ce qui est vrai en ce qui concerne les mathématiques, la physique ou la chimie, par exemple, n'est pas juste quant à la métaphysique.

Le développement spirituel s'effectue en mettant en pratique ce que l'on sait déjà. Au lieu de lire un livre nouveau, reprenez celui qui vous a fait du bien et mettez-le plus soigneusement en pratique dans votre vie courante.

Guérir une coupure que l'on s'est faite au doigt ou résoudre une difficulté en affaires, uniquement grâce au traitement par la prière, vous sera mille fois plus profitable au point de vue spirituel que d'étudier une bibliothèque tout entière.

La seule chose que vous deviez *comprendre* et *réaliser*, c'est que le monde où vous vivez est un *concept mental* et non une réalité objective. Toute démonstration obtenue vous fait sentir plus facilement cette vérité, alors que l'étude intellectuelle s'avère inefficace en l'occurrence. La métaphysique, comme la musique, est à la fois une science et un art. Il est absolument certain qu'on ne fait des progrès en métaphysique qu'en *mettant en pratique ce que l'on sait déjà* (1).

(1) Voir Jacques 1 : 22.

QUE RESSENTEZ-VOUS ?

EN réalité, les sentiments d'un être humain se réduisent à *l'amour* et à *la peur.*

On s'imagine généralement que les sentiments sont innombrables. Quelle illusion ! Si l'on analyse leur soi-disant diversité, on s'aperçoit qu'ils expriment toujours ou *l'amour* ou *la peur.*

Qu'est-ce que la colère, par exemple ? Eh bien, la colère n'est que de la peur déguisée. En chimie, il arrive parfois qu'on se trouve en présence de la même substance affectant une apparence tout à fait différente. Ainsi, la mine de plomb est chimiquement un corps semblable au diamant malgré leur différence d'espèce. On dit que ce sont des formes allotropiques du carbone.

La peur, la haine, la jalousie, la critique, l'égoïsme ne sont de même que des formes différentes de la peur.

Par contre, la joie, l'intérêt, les satisfactions que donnent la réussite, le succès, l'art, sont des formes allotropiques de l'amour.

Ce qui fait que ces deux sentiments s'opposent essentiellement, c'est que *l'amour est toujours créateur* tandis que *la peur est toujours destructive.* Un sentiment empreint d'amour guérit le corps, allonge la vie, fait naître l'inspiration, donne de l'extension aux affaires, ouvre des issues dans mille directions et triomphe de tous les obstacles.

La peur détruit le corps, tue l'inspiration, paralyse les affaires et fait souffler partout un vent de mort.

C'est à vous de décider lequel de ces deux sentiments influencera votre vie.

« Dieu est amour ; et celui qui demeure dans l'amour demeure en Dieu, et Dieu demeure en lui » (1).

---

(1) I Jean 4 : 16.

« L'AMOUR DIVIN NE PERIT JAMAIS »

L'AMOUR divin ne faiblit jamais, l'amour divin vient à bout de toutes les difficultés. Les livres de métaphysique fourmillent d'affirmations de ce genre ; celles-ci sont, du reste absolument justes, mais on n'a pas toujours l'impression que les auteurs ou les lecteurs en saisissent parfaitement le sens. Il est certain que bien des gens ont foi en elles, sans pouvoir cependant les prouver par leurs démonstrations. Pourquoi cela ?

Je crois que l'explication est la suivante. Consciemment ou inconsciemment, ces gens s'imaginent que l'amour divin est une force résidant au-dehors d'eux-mêmes, probablement là-haut dans le ciel, selon la notion orthodoxe. Ils espèrent que bientôt, si leurs supplications sont assez ardentes, ils attireront cette force jusqu'à eux pour les secourir. Ils ne voudraient pas admettre, en général, qu'ils entretiennent des pensées de ce genre, mais je crois, tout de même, qu'ils sont influencés par une idée fort semblable.

En fait, cette force extérieure n'existe pas; ils ne peuvent par conséquent recevoir de l'aide de cette manière.

En ce qui vous concerne, le seul endroit où vous puissiez découvrir l'Amour divin, c'est dans votre cœur. Tout amour ne résidant pas dans *votre cœur* n'existe pas pour vous et ne peut donc vous affecter d'une manière quelconque.

Vous n'avez qu'une chose à faire : remplissez votre cœur d'Amour divin, en y pensant, en le sentant, en l'exprimant. Quand ce sentiment de l'Amour divin sera devenu assez fort, non seulement il guérira tous vos maux et résoudra toutes vos difficultés, mais il vous permettra de venir en aide à autrui. Telle est la loi de l'Etre ; personne ne peut la modifier. Vous comprenez maintenant pourquoi la critique, les récriminations, le fait de s'attarder à ses peines, de chercher à tromper les autres sont néfastes et contrecarrent toute démonstration en empêchant l'Amour divin de vous guérir moralement et physiquement (1).

---

(1) Lisez I Corinthiens, ch. 15.

REFLECHISSEZ-Y !

LE SAVANT est un homme qui demande « Comment ? »

LE PHILOSOPHE, lui, demande « Pourquoi ? »

LE MYSTIQUE considère la vie de l'intérieur.

LE MATÉRIALISTE la considère de l'extérieur.

LE POÈTE est un maître du langage.

LE POLITICIEN fait passer en premier lieu les intérêts de son parti ou le sien.

L'HOMME D'ETAT donne à son pays la première place.

LE PATRIOTE met les intérêts de son pays au-dessus des siens.

L'ARTISTE est quelqu'un qui a fait de la beauté une religion.

LE HÉROS accomplit ce que les autres se contentent d'admirer.

LE GENTLEMAN est quelqu'un qui ne cherche pas à profiter d'autrui.

LE LACHE est celui qui, ayant considéré ce qui est le plus élevé, choisit ce qu'il y a de plus bas.

L'INSENSÉ croit qu'on peut tricher avec la Grande Loi.

LE VOLEUR est un homme qui, sur un plan quelconque, essaie d'obtenir quelque chose qu'il n'a pas gagné.

LE JOUEUR croit pouvoir s'approprier quelque chose à quoi son état de conscience ne lui donne pas droit.

L'ADULTE est une personne qui a appris à dominer ses émotions.

L'ADOLESCENT est quelqu'un qui jamais ne s'ennuie.

LE VIEILLARD est un quelqu'un ayant perdu la faculté de s'étonner.

LE SAINT aime Dieu plus que tout.

LE PHARISIEN se sert de Dieu pour sa glorification personnelle.

L'OPTIMISTE réel sait qu'il n'y a qu'Une Cause.

LE PESSIMISTE est quelqu'un qui croit à plusieurs causes.

LE CHARLATAN, quelle que soit l'école à laquelle il appartient, traite les symptômes au lieu des causes.

L'ORIGINAL est quelqu'un qui ne voit pas les choses comme nous.

L'HUMOUR est un sens aigu de la mesure.

LA CRITIQUE n'est qu'une manière indirecte de se mettre en avant.

La repentance est la porte du ciel.

Le remords est une corruption de l'orgueil spirituel.

La religion est la recherche personnelle de Dieu.

Si la force brutale était le critérium, ce serait les lions qui nous mettraient en cage.

Si seule la grosseur importait, les dinosauriens seraient encore les maîtres du monde.

La tension artérielle élevée implique une haute tension des émotions — trop d'inquiétude.

La tension artérielle basse implique une basse tension émotionnelle — manque d'intérêt.

Les jointures qui craquent proviennent d'un esprit qui grince.

La punition du menteur, c'est qu'il ne peut croire personne.

Le malheur de l'ignorance, c'est que sa victime ne la soupçonne pas.

L'inconvénient de la pauvreté, c'est que l'on n'a rien à donner.

Le danger de la richesse est une tendance réelle à l'égoïsme.

La malédiction de la sensualité, c'est que les sens ont tué le cœur.

L'homme parfait apparaîtra dès que la femme parfaite réclamera sa présence.

Donner trop d'importance à ses ANCÊTRES, c'est ressembler au plant de pomme de terre : le meilleur est sous terre.

Ceux qui arrivent en retard à l'église POURRAIENT bien aussi arriver en retard au ciel.

Ce que nous donnons pour l'œuvre de Dieu nous revient multiplié et béni. Mais ce que nous refusons à Dieu ne peut guère nous être bénéfique.

INVITES

UNE difficulté n'est pas une barrière infranchissable ; c'est une invite.

Toute apparence de problème surgissant dans votre vie indique que le moment est venu pour vous de faire un pas en avant, et ce progrès, naturellement, sera probant du fait que vous aurez résolu la question qui s'était posée.

Tout pas en avant implique toujours un *changement mental.* Les seuls progrès que vous ayez jamais faits ont été des progrès mentaux. Quand votre esprit est prêt, tout le reste l'est aussi, ce qui veut dire que tout développement spirituel comporte un changement d'esprit. Quand nous sommes prêts, l'univers l'est aussi.

L'homme a découvert le feu pour répondre au défi du froid. Il ne l'aurait probablement pas trouvé si une température tropicale avait régné sur toute la terre.

L'homme a découvert la musique pour satisfaire son désir d'exprimer ses émotions les plus élevées. Il a combiné des outils pour vaincre les difficultés pratiques de sa vie quotidienne. Le téléphone, comme l'automobile ou l'avion sont la réponse (partielle) aux problèmes que posent le temps et l'espace. La presse à imprimer a résolu aussi une de ses difficultés.

Dans votre vie personnelle, toute épreuve est une invite. Ce n'est pas une barrière qui signifie : « Tu ne passeras pas ». C'est un problème, or tout problème comporte une solution.

Cette solution vous la trouverez grâce à la Prière Scientifique. Quand vous aurez trouvé la réponse de la question qui vous embarrassait, vous aurez fait nettement un pas en avant et ce progrès vous sera acquis pour l'éternité.

La voie qui mène à Dieu est toujours ouverte.

UNE CHOSE A LA FOIS

Le moment présent est toujours supportable. Ce qui est intolérable, c'est ce qui doit survenir dans cinq minutes ou dans quelques jours.

Ce que nous sommes en train de faire ne nous fatigue pas, mais nous sommes exténués en pensant au travail qui nous attend. Si les gens réfléchissaient qu'ils ne peuvent faire qu'une chose à la fois et que par conséquent, ils n'ont qu'une chose à faire à un moment donné, la fatigue serait moins générale dans le monde. On ne peut accomplir le lundi que le travail du lundi ; quant à la tâche du mardi — cela regarde le mardi.

Une saine fatigue est causée par un travail sain physique ou mental, et il suffit généralement d'une nuit de repos pour réparer ses forces. La tension nerveuse a une origine tout à fait différente. Elle vient de ce qu'on s'efforce de faire aujourd'hui le travail de demain, ou à deux heures la tâche qui était réservée pour quatre heures ; le comble, c'est de travailler pendant la nuit après une journée bien remplie.

La Loi de la Vie exige que l'on vive dans le

présent — et ceci s'applique à la fois au temps et au lieu. Fixez votre attention sur ce qui vous occupe au moment présent et sur le lieu où vous êtes effectivement. Que votre corps ne soit pas à New-York tandis que votre esprit vagabonde en Californie ou vice-versa. Que votre corps ne soit pas occupé à midi alors que pour votre esprit, il est déjà six heures du soir. Accomplissez votre tâche de la journée, puis arrêtez-vous. Le surmenage, en fin de compte, n'est pas productif.

Il y a quelques années, un de mes amis visitait une cathédrale en Italie. Le sol était recouvert d'une magnifique mosaïque qui n'était pas complètement terminée. Elle représentait le Jugement dernier et comportait d'innombrables personnages. On était frappé de stupeur par la variété et la multitude des marbres colorés qui la composaient.

Un ouvrier, à genou, travaillait diligemment. Mon ami, qui sait l'italien, lui dit : « Quel travail prodigieux ! Je ne me serais jamais imaginé qu'on pouvait entreprendre une œuvre pareille ! »

L'homme répondit tranquillement : « Oh ! ce n'est rien. Je sais ce que je puis faire dans ma journée, sans me presser. Chaque matin, je me trace ma tâche sur le sol et je ne me fatigue pas la tête à chercher plus loin. Un beau jour, tout sera fini, sans que je m'en sois aperçu ».

Chaque heure suffit à sa tâche. *Maintenant*, voici le jour du salut (1).

---

(1) II Corinthiens 6 : 2.

LA GRANDE LOI ELASTIQUE

LA Grande Loi de l'Etre veut que nous récoltions ce que nous avons semé et que les circonstances de notre vie dépendent des pensées que nous entretenons et de ce que nous croyons. C'est une loi cosmique. Elle s'avère juste sur tous les plans et dans tous les temps. Comme toute loi, elle est immuable, inflexible, impersonnelle. Lui obéir, c'est prendre la voie qui mène au Ciel, la voie de l'harmonie.

Les mouvements métaphysiques ont précisément pour objet l'enseignement de cette Loi, et nous progressons dans la mesure où nous la comprenons et nous y conformons.

Tous ceux qui s'initient à la métaphysique savent dans leur cœur combien tout cela est vrai. Malheureusement, ils n'agissent pas toujours conformément à leurs connaissances. Ils essayent de se faire illusion en prétendant qu'ils peuvent impunément enfreindre la Loi. Ils font semblant de croire que tout autre qu'eux-mêmes aurait tort de le faire mais qu'en ce qui les concerne « c'est différent ». Ils se disent qu'ils peuvent penser, parler, agir contrairement à la Loi sans que cela ait des conséquences et que pour cette fois cela ne comptera pas.

Est-il attitude plus ridicule, plus puérile que la leur ? Ils se sont fait, à leur usage personnel, une *Grande Loi élastique* qui peut se plier et se tordre en tous sens, sans comprendre que tout cela n'est que duperie de leur esprit.

Heureusement, que cela nous plaise ou non, nous devons vivre sous *la Loi Réelle* et toutes les prétentions enfantines et les excuses fallacieuses n'y changeront rien.

Vous êtes-vous fait aussi une Loi élastique ? Si c'est le cas, hâtez-vous de la mettre au rebut et repartez sur des bases nouvelles.

Ce qu'un homme aura semé (en pensée), il le moissonnera aussi (1) (en faits précis).

---

(1) Gal. 6 : 7.

VOUS NE POUVEZ PAS MAIS DIEU PEUT

LES forces spirituelles qui ont créé l'univers et le maintiennent sont à votre disposition et peuvent vous aider, à condition toutefois que vous y fassiez appel intelligemment. Evidemment, il n'y a qu'une Cause Première ; mais celle-ci se manifeste de mille manières et il vous sera toujours répondu de la façon la plus appropriée à vos besoins.

Pour avoir recours à cette Force, apaisez-vous d'abord physiquement et mentalement, puis demandez-Lui calmement de faire ce qu'Elle sait être nécessaire. Ne suggérez ni plan, ni moyens.

Il n'est, généralement, pas répondu à vos prières parce que vous essayez d'agir par vous-même au lieu d'en laisser l'initiative au Pouvoir Suprême. Vous utilisez ce faisant votre force de volonté et vous ne pouvez obtenir de résultats favorables, car votre volonté, c'est vous.

Avez-vous jamais vu un puissant élévateur ou une grue gigantesque dans un dock ? Vous savez ce qui se passe. Il ne viendrait pas à l'idée de celui qui fait manœuvrer la machine de soulever cette masse énorme à l'aide de ses muscles. Il serait exténué et se ferait certainement du mal sans que le travail qui lui est confié s'accomplisse le moins du monde.

Il se contente de manœuvrer doucement un petit levier pour établir le contact. Puis, sans effort, ni agitation, l'énergie électrique élève la charge à la hauteur requise et cela aussi souvent qu'il le faut.

Quand vous travaillez spirituellement, vous faites agir la Puissance infinie en faveur de votre difficulté ; dès lors, seule la victoire peut en résulter.

« Arrêtez et sachez que je suis Dieu » (1).

---

(1) Psaume 46 : 10.

LA NATURE EST BIENVEILLANTE

« Tout de même, dit Mr Squeers pensivement, la nature est vraiment bizarre, et je voudrais bien savoir comment nous ferions sans elle ». *Dickens.*

LA Nature, quand ce terme est compris comme il se doit, est la partie de l'univers de Dieu avec laquelle nous sommes directement en contact. Dieu étant Principe, la nature obéit à des lois immuables ; elle ne fait donc pas d'exceptions et ignore le favoritisme.

Si nous sommes disposés à connaître ces lois et à nous y conformer avec intelligence, nous aurons la santé, la liberté, l'harmonie et toute la force qui nous est nécessaire.

Comme l'a dit Huxley, si nous voulons commander à la nature, commençons d'abord par lui obéir.

Remarquez que Jésus, lorsqu'il a accompli ses œuvres extraordinaires (miracles), n'a jamais essayé de contrecarrer la nature ou de faire ce que nous appelons des tours de passe-passe. Il a, au contraire, obéi à la Loi de l'Etre en amenant le malade — par exemple — à être plus en harmonie avec la Loi réelle de la nature humaine — car c'est en cela que consiste la guérison.

Habituez-vous à manger, boire, dormir, à prendre de l'exercice et à travailler intelligemment ; c'est-à-dire conformément aux lois de la nature de l'homme ; votre compréhension spirituelle ne s'en développera que davantage. Mener une vie contraire à l'hygiène c'est désobéir à la Loi divine. La nature est notre amie, non pas notre ennemie. C'est une mère bienveillante qui s'efforce de nous protéger et de nous instruire — souvent malgré nous. Ce n'est point un adversaire que nous devons chercher à vaincre.

Soyez en paix avec la nature en travaillant en harmonie avec elle et elle deviendra votre amie.

« Dieu vit tout ce qu'il avait fait ; et voici, cela était très bon » (1).

(1) Genèse 1 : 3.

DYNAMITE

(13 charges à utiliser immédiatement. S'en servir avec prudence).

ORGANISEZ aujourd'hui votre travail de demain.

Revoyez rapidement avant de vous endormir tous les événements de la journée.

N'élevez pas la voix. On n'a pas besoin de braillards.

Habituez-vous à écrire lisiblement.

Restez de bonne humeur même s'il vous arrive un coup dur.

Défendez les absents.

Avant de juger, écoutez l'autre son de cloche.

Inutile de vous lamenter sur ce qui est irréparable.

Apprenez à faire au moins une chose aussi bien que n'importe qui dans le monde.

Soyez courtois en famille. Si vous éprouvez le besoin d'être impoli, il vaut mieux que ce soit avec des étrangers.

Maintenez dans un ordre parfait tout ce qui vous appartient.

Débarrassez-vous de ce qui est inutile.

Faites chaque jour quelque chose pour aider autrui.

Lisez la Bible tous les jours.

Tout cela paraît évident et banal, mais chacune de ces recommandations cache une loi métaphysique et psychologique qui triomphe de toutes les difficultés. *Essayez !*

LA MAREE PURIFIE TOUT

SI vous avez jamais exploré certaines eaux stagnantes à l'intérieur des terres, vous savez combien elles diffèrent de l'eau que laisse la marée en se retirant.

Voici une mare envahie en partie par les mauvaises herbes et la vase. Son voisinage n'a rien de séduisant ; par contre, c'est un centre d'élevage tout indiqué pour les moustiques et autres insectes nuisibles.

Non loin de là, au bord de la mer, se trouve un étang aux eaux claires, sentant l'iode. Tout ce qu'il entoure est salubre et agréable à voir. Cette différence est due au flux et au reflux. Deux fois par jour, les eaux vivantes de l'océan y affluent entraînant en se retirant tous les déchets accumulés. C'est la circulation de la vie qui rend ces deux étendues d'eau si différentes. A marée basse, on trouve parfois un bateau échoué, gisant sur le côté, immobile. Nous savons que ce n'est que temporaire. La marée montante remettra la barque à flot et elle pourra reprendre la mer.

Tant que vous gardez fidèlement l'habitude de rendre visite à Dieu chaque jour (appelez cela prière ou méditation), votre âme est ouverte au flux et au reflux, et rien ne peut aller vraiment très mal pour vous. S'il survient quelque ennui, vous en viendrez à bout aisément ; et même si momentanément, vous avez l'air d'être échoué sur le sable, le vivant océan vous remettra à flot ; ce n'est qu'une question de temps.

Quand vous négligez de faire à Dieu votre visite quotidienne, le flux de la marée montante ne se fait plus sentir dans votre âme. Elle devient alors une eau dormante où la peur, le doute et autres créations pernicieuses de l'esprit humain peuvent vivre et se multiplier, engendrant l'affliction et la souffrance.

Veillez à ce que votre âme soit inondée par les flots de la Vie éternelle et « rien ne pourra vous nuire » (1).

---

(1) Luc 10 : 19.

AUCUNE CIRCONSTANCE N'AFFECTE DIEU

DIEU n'est pas affecté par les circonstances. Ce fait est immuable : Dieu est tout puissant, Il peut susciter l'harmonie et la santé dans n'importe quelles conditions, n'importe où et n'importe quand. Il est au delà du temps, de l'espace et de l'esprit charnel.

Qu'une difficulté dure depuis longtemps ou non, Lui est indifférent, comme du reste l'apparente résistance dont il faut triompher.

Dieu n'a pas à Se préparer maintenant pour faire aboutir un événement l'année prochaine et Sa puissance n'est pas amoindrie parce que certaines dispositions ont été omises, l'an dernier. Tout est possible à Dieu, partout, n'importe où, indépendamment des circonstances et de quiconque.

Notre esprit charnel est souvent responsable des difficultés que rencontrent nos démonstrations. Nous disons : « C'est trop tard » ou « trop tôt » ; « trop loin » ou « trop près » ; c'est « trop » ou « pas assez » et c'est ce qui tue notre démonstration ; mais cette manière de penser n'a aucun rapport avec Dieu.

Décidez aujourd'hui que vous allez démontrer la santé, le bonheur, la réussite, en prenant conscience que Dieu œuvre en vous et par vous pour amener à manifestation ce que vous désirez ; ne permettez pas à votre entendement mortel, ne fût-ce qu'une seconde, de vous suggérer que c'est irréalisable.

C'est réalisable, et, si vous ne perdez pas de temps et le voulez sincèrement, il en sera ainsi. Dieu n'est pas affecté par les circonstances, et si vous ne permettez pas à celles-ci d'obnubiler votre pensée, elles ne pourront contrecarrer votre démonstration.

« Avec Dieu, tout est possible » (1).

---

(1) Matthieu 19 : 16.

LIBRE ARBITRE OU DESTINEE

LES caprices de la destinée furent un des sujets favoris des romanciers de naguère. Dans le monde à trois dimensions, les gens ne cessaient d'être à la merci du hasard. Toute l'existence d'une personne était bouleversée parce qu'une lettre s'était égarée ou lui avait été volée. Le héros passait de l'obscurité à la richesse ou à la gloire grâce à une rencontre fortuite faite dans le train ou parce qu'il avait sauvé quelqu'un qui se noyait. Un faux pas ruinait une carrière qui promettait. Un tour de roue de la fortune suffisait pour résoudre les ennuis de quelqu'un.

Tout ceci est absurde. Nous ne sommes pas à la merci du hasard pour la raison qu'il n'y a pas de hasard, et les incidents sans importance n'ont que d'infimes conséquences.

En définitive, ce que vous démontrez, c'est votre caractère et ce n'est pas un accident extérieur qui peut vous empêcher d'atteindre le but auquel tout vous destinait. Un incident particulier peut vous dispenser un avantage passager ou vous causer un chagrin ou un inconvénient momentané, mais il ne peut changer le cours de votre vie. Un homme entreprenant et énergique qui s'occupe de ses affaires réussira, qu'il rencontre ou non un étranger secourable dans un train, qu'une lettre se perde ou non. La perte d'une lettre peut le priver d'une certaine situation ; la rencontre d'un homme serviable peut hâter sa réussite, mais s'il possède les qualités qu'exige la réussite, de toute manière il y arrivera. Par contre, si ces qualités lui font défaut, aucun secours extérieur ne le fera réussir.

Une nation n'est jamais détruite par la perte d'une bataille. Si les ressources naturelles d'une nation sont insuffisantes, si elle est divisée, elle ne peut survivre, mais c'est la faiblesse de sa structure qui cause sa chute. Si elle avait été unie, organisée, armée, elle aurait perdu la bataille, mais aurait cependant gagné la guerre.

C'est votre propre caractère qui vous fait réussir ou vous brise. Et cela est vrai pour les individus, les nations, les partis, les églises et n'importe quelle institution.

Si vous avez l'impression que certaines qualités vous font défaut, si votre caractère semble manquer de fermeté, demandez à Dieu de vous donner ce dont vous avez besoin. Il le fera.

Votre esprit peut forger n'importe quelle qualité si chaque jour vous méditez sur ce sujet.

LES MOTS CLEFS DE LA BIBLE

1. PEUR

LA Bible dit que la crainte de l'Eternel est le commencement de la sagesse (Psaume 111 : 10) ; selon les Proverbes, c'est le commencement de la science (Proverbes 1 : 7). Ces paroles ont induit bien des gens en erreur, car en réalité la peur est mauvaise, sans réserve ; du reste, c'est le seul ennemi que vous ayez. Vous pouvez rétablir n'importe quelle situation à condition de vous débarrasser de la peur qui s'y rattache. Les difficultés, la maladie ne sont que des craintes du subconscient qui se sont matérialisées. Il est exact qu'en tout temps « nous n'avons à craindre que la peur ».

Comment expliquer alors les textes ci-dessus ? Eh bien, c'est que dans la Bible « crainte » ne signifie pas peur, au sens habituel de ce mot, mais vénération.

Il faut donc lire « La vénération de Dieu est le commencement de la sagesse ». Comment témoigner à Dieu notre respect ? Certainement pas par de belles professions de foi ou de dévotes prières, mais en Le voyant partout, en refusant de reconnaître ce qui ne Lui est pas semblable, et en vivant une vie selon Christ.

Avoir foi, c'est adorer. Vous adorez tout ce en quoi vous avez foi. Avez-vous plus de confiance dans le mal que dans le bien ? En la peur qu'en Dieu ? Qu'adorez-vous ? Voilà le seul critérium.

« Attache-toi donc à Dieu et tu auras la paix » (1).

(1) Job 22 : 26.

LES MOTS CLEFS DE LA BIBLE

2. COLERE

PLUSIEURS fois, dans la Bible, il est fait allusion à la colère de Dieu. Cela embarrasse fort beaucoup de ceux qui s'intéressent à la métaphysique ; ils savent, en effet, que Dieu est Amour et que Son action a pour but de guérir, de consoler ou d'inspirer. Mais, dans la Bible, le mot « colère » signifie *grande activité* — celle qui précède ou accompagne le rétablissement d'une condition négative. Nous savons que pendant les nettoyages de printemps, par exemple, tout est sens dessus dessous dans une maison durant quelques jours. Quand on traite un malade par la prière, il arrive fréquemment que son état s'aggrave avant que n'apparaisse la guérison. C'est cet état de crise que la Bible appelle « colère ».

Ainsi, dans II Chroniques 34 : 25, il est dit que « la colère de l'Eternel se répandra sur le peuple » parce qu'il a adoré des faux dieux. Cela signifie que si nous nous assignons des limites et entretenons des pensées négatives, des difficultés surgiront forcément ; mais en les traitant par la prière, nous abolirons le mal qui a été fait et ramènerons dans notre vie paix et harmonie. C'est cette activité qui est appelée la colère de Dieu.

Dans le Psaume 76 : 10, nous lisons « L'homme te célèbre même dans sa fureur ». Ce qui veut dire que l'agitation provoquée en nous par nos difficultés nous pousse à nous tourner vers Dieu et à en triompher, de ce fait.

La Bible nous montre toujours que l'affliction et le malheur se terminent dans l'harmonie et la joie, si nous levons nos regards vers Dieu.

« Il envoya sa parole et les guérit.

Il Les fit échapper à la fosse et les délivra de la destruction » (1).

(1) Psaume 107 : 20.

LES MOTS CLEFS DE LA BIBLE

3. JE SUIS CELUI QUI EST

JE SUIS CELUI QUI EST (1) ; c'est en ces termes que la Bible désigne principalement Dieu. Ils signifient : L'Etre qui n'est soumis à aucune condition, la Grande Puissance créatrice qui ne connaît aucune limite. C'est une tentative, fort heureuse du reste, pour exprimer dans la mesure où le peut le langage, l'infini de Dieu.

« JE SUIS » c'est vous, l'individu. C'est l'affirmation que vous existez, mais cette affirmation demande à être précisée. Nous disons, par exemple, « Je suis un homme », « Je suis une femme », « Je suis Américain », « Je suis Espagnol », « Je suis avocat », ou « Je suis boulanger », « Je suis républicain » ou « Je suis démocrate ». Dans chaque cas, nous énonçons un fait important sur nous-mêmes, mais en même temps, nous nous assignons une limite — non dans un sens négatif, mais dans un sens positif et constructif.

Si je suis Américain, je ne suis pas Espagnol; si je suis un homme, je ne suis pas une femme, etc.

Or Dieu est infini et la seule phrase qui permet de l'exprimer est justement JE SUIS CELUI QUI EST. JE SUIS quoi ? JE SUIS un être pur, échappant aux circonstances et aux limites, un être non spécifié. Affirmer que Dieu est quelque chose en particulier serait Lui assigner des bornes, du moins Le circonscrire, or Dieu est infini.

Ne pas essayer d'être tout, mais être quelque chose de déterminé, caractérise l'homme parce qu'il est une *individualisation.* Si vous faisiez résonner à la fois toutes les notes de la gamme, vous n'obtiendriez qu'un bruit confus. La musique implique la sélection et le groupement particulier de certaines notes. Dans l'univers de Dieu, chacun de nous a sa place et il nous incombe de la trouver et de l'occuper. Nous devons jouer correctement notre partie dans le grand orchestre. Dieu est, à la fois, le Grand Chef d'Orchestre et l'Orchestre lui-même — infini, sans commencement ni fin.

---

(1) Exode 3 : 14.

LES MOTS CLEFS DE LA BIBLE

4. SALUT

On trouve le mot salut plus de 120 fois dans la Bible. Il était d'un usage courant parmi les personnes pieuses des générations passées. Tout en ne l'employant pas si souvent de nos jours, il n'en reste pas moins l'un des termes les plus importants de la Bible et, comme cela arrive souvent, l'un de ceux qu'on comprend le moins.

Le mot salut dans la Bible implique la santé parfaite, l'harmonie, la liberté. Quand vous avez un corps si sain et si vigoureux que le seul fait de vivre est une joie en soi, quand les circonstances de votre vie sont absolument harmonieuses, que votre temps est rempli par une activité utile et agréable, que votre compréhension de Dieu s'accroît chaque jour, que vous n'êtes conscient d'aucune crainte, votre salut, tel que l'entend la Bible, est réalisé.

Toutes les conditions que je viens d'énumérer, Dieu les veut pour l'homme, pour vous, personnellement. La Bible a été écrite pour montrer comment on peut parvenir à les posséder.

Nous trouvons le salut en cherchant Dieu en pensée, en Le laissant œuvrer par notre intermédiaire, en refusant d'accorder un pouvoir quelconque aux faits extérieurs, en nous habituant à mépriser la peur.

« L'Eternel est ma lumière et mon salut » (1). « Oui, c'est lui qui est mon rocher et mon salut » (2). « Tes chars triomphants apportant le salut » (3). « Il nous a suscité un puissant Sauveur » (4). « Toute chair verra le salut de Dieu » (5). Tous ces textes concernant le salut caractérisent les promesses divines. La prière d'Habakuk montre l'angoisse mentale qui accompagne souvent l'activité (la colère) de Dieu opérant dans notre âme, quand tout ce qui nous préoccupe monte à la surface pour se clarifier; c'est la période de tension précédant la démonstration.

Pour certains, le salut s'effectue sans heurt et facilement, mais la plupart doivent, pendant un certain temps, y travailler « avec crainte et tremblement ». Se demander comment s'opère notre salut n'a du reste pas grande importance — de toute façon il aura lieu — dès que nous le chercherons de tout notre cœur.

---

(1) Psaume 27 : 1.
(2) Psaume 61 : 2.
(3) Habakuk 3 : 8.
(4) Luc 1 : 69.
(5) Luc 3 : 6.

Cherchez dans une concordance le mot « salut ». Cela constituera pour vous un excellent traitement. Puis lisez les nombreux versets qui s'y rapportent, en les interprétant, naturellement, à la lumière spirituelle.

LES MOTS CLEFS DE LA BIBLE

5. MECHANT

LE mot « méchant » revient plus de 300 fois dans la Bible et il en est un des termes les plus frappants. En réalité, « méchant » signifie dans la Bible « envoûté », « ensorcelé ». La Loi de l'Etre est harmonie parfaite et cette vérité est immuable ; mais l'homme use de son libre arbitre pour penser d'une manière erronée et suscite, de ce fait, des conditions mauvaises qu'il prend pour des réalités. Elles en ont si bien l'apparence qu'il oublie que c'est lui qui les a forgées. Il s'ensorcelle lui-même et subit une sorte de fascination. Naturellement, tant qu'il est sous ce charme, il doit en subir les conséquences. Néanmoins, ce n'est qu'un envoûtement, une illusion dont il peut se libérer en se tournant vers Dieu.

La seule manière de rompre cette emprise, c'est de penser à Dieu ; Jésus y fait allusion quand il parle de la porte étroite ou du chemin étroit. « O Galates dépourvus de sens ! qui vous a fascinés ? » (1), s'écrie Paul en apprenant que certains de ses disciples étaient tombés dans l'erreur.

« Le méchant prend la fuite sans qu'on le poursuive » (2).

« Les méchants se tournent vers le séjour des morts (l'enfer) » (3).

« Que le méchant abandonne sa voie et l'homme d'iniquité, ses pensées, qu'il retourne à l'Eternel qui aura pitié de lui » (4). Tous ces versets montrent ce qui arrive quand, nous laissant fasciner par nos propres pensées, nous croyons à un pouvoir autre que celui de Dieu. Nous fuyons quand personne ne nous poursuit — nous avons peur sans raison. Nous pouvons endurer les peines de l'enfer car « la crainte suppose un châtiment ». Mais quand nous nous tournons vers Dieu, l'emprise prend fin et l'harmonie est restaurée.

Secouons cette influence que subit tout le genre humain, et prenons conscience que Dieu est Toute Puissance, Intelligence infinie et Amour illimité.

---

(1) Galates 3 : 1.
(2) Proverbes 28 : 1.
(3) Psaumes 9 : 18.
(4) Esaïe 55 : 7.

LES MOTS CLEFS DE LA BIBLE

6. JUGEMENT

JUGER, c'est dans la Bible discerner la vérité ou l'erreur de n'importe quelle pensée. Cette action se poursuit nécessairement dans notre esprit pendant tout le temps où nous sommes éveillés ; et c'est dans la mesure où nous jugeons selon la Vérité que notre caractère est déterminé. Accepter le mal en se fiant aux apparences, c'est juger faussement et provoquer, de ce fait, le châtiment mérité. Par contre, refuser de croire au mal et affirmer le bien, c'est juger sainement et susciter en récompense le bonheur et l'harmonie.

Ainsi *le Jugement* n'est point une vaste délibération qui aura lieu à la fin des temps, mais un règlement qui s'effectue chaque jour. « Ne jugez point afin de n'être point jugés », a dit Jésus, ce qui signifie : Vous courez un grand danger en vous hâtant de condamner votre frère, au lieu de voir le Christ en lui ; car vous donnez une réalité aux apparences que vous découvrez en lui ; or, tout ce qui a pour vous une réalité, se manifeste forcément dans votre vie.

LES MOTS CLEFS DE LA BIBLE

7. PAIENS — ENNEMIS — ETRANGERS

TOUS ces termes désignent les pensées négatives que nous entretenons et dont proviennent toutes nos difficultés. Ils ne représentent pas des êtres humains. *Les païens* ce sont nos pensées erronées parce qu'elles ne connaissent pas Dieu. Elles sont *étrangères* à notre vrai Moi et, par conséquent, sont les seules *ennemies* que nous puissions avoir. Tous ces ennemis doivent être détruits, non en luttant contre eux, ce qui ne ferait qu'augmenter leur force, mais en leur opposant un jugement conforme à la Vérité, en refusant de croire en eux. *Dieu est la seule Présence, la seule Puissance.*

LES MOTS CLEFS DE LA BIBLE

8. CHRIST

« CHRIST » n'est pas un nom propre, mais un titre. C'est un mot grec qui veut dire oint, consacré. Il correspond en quelque sorte au terme hébreu Messie et à celui de Bouddha, en Orient.

Jésus est le nom que ses parents donnèrent au Seigneur. Sous cette forme, c'est la traduction en grec de Josué, nom hébreu signifiant littéralement « Dieu est le salut », c'est-à-dire la connaissance de Dieu est notre salut ; c'est ce que j'ai appelé la Clef d'Or.

C'est dans ce sens que nous parlons *du Christ*. On pourrait définir le Christ : La Vérité spirituelle concernant toute personne, toute situation.

Quand vous rétablissez la Vérité spirituelle en toute difficulté, vous prenez conscience du Christ, et la guérison s'en suit. Le Christ est toujours par conséquent celui qui guérit.

Jésus a démontré l'action du Christ dans sa personne et dans sa vie, plus que ne l'a jamais fait aucun être humain ayant vécu sur terre ; l'œuvre accomplie par son crucifiement et sa résurrection nous a permis d'atteindre des sommets spirituels qui, autrement, seraient restés hors de notre portée ; c'est pourquoi il est appelé, à juste titre, le Messie, le Sauveur du monde, ou encore la Lumière du monde. Prendre conscience du Christ rétablit l'harmonie quelles que soient les circonstances et les limites qui semblent s'y opposer.

« Et moi quand j'aurai été élevé de la terre, j'attirerai tous les hommes à moi » (1).

---

(1) Jean 12 : 32.

LES MOTS CLEFS DE LA BIBLE

9. REPENTANCE

SE repentir signifie en réalité modifier ses pensées sur un certain sujet. Lorsqu'une personne se rend compte qu'une action particulière, une ligne de conduite ou même toute l'orientation de sa vie est erronée et que, honnêtement, elle se résout à changer de conduite, elle se repent.

La Bible fait de la repentance sincère une condition essentielle de tout progrès spirituel et du pardon des péchés.

Jésus a dit : « Si vous ne vous repentez, vous périrez tous également » (1).

La repentance n'implique nullement le regret douloureux des fautes passées, car s'attarder sur ce qui est révolu est une grave erreur; notre devoir est de vivre dans le présent conformément à la Vérité. Souffrir des erreurs anciennes, c'est avoir des remords, or le remords est un péché ; c'est en effet le refus du pardon divin. La Bible dit clairement que c'est *maintenant* le jour du salut.

Jean-Baptiste a précisé : « Repentez-vous, car le royaume des cieux est proche », c'est-à-dire :

« Changez votre manière de penser et prenez conscience que Dieu est présent là où vous êtes » (2).

Le baptême était pour lui le symbole de la repentance. C'était, de son temps, une coutume déjà fort ancienne parmi différents peuples, car le bain, la purification du corps par l'eau représente de façon frappante la purification de l'âme par la repentance. Dans l'Ancien Testament, nous lisons que le peuple lava ses vêtements avant de recevoir de Moïse les Dix Commandements ; or, ce cérémonial se retrouve à maintes reprises avant certains exercices spirituels. Voilà donc la vraie signification du baptême ; la cérémonie, en elle-même, n'a pas d'importance si ce n'est qu'elle est le signe extérieur qui représente le changement d'esprit, la repentance, la résolution de devenir meilleur.

La loi de la vie, c'est connaître la Vérité et la vivre.

---

(1) Luc 13 : 3.
(2) Matthieu 3 : 2.

LES MOTS CLEFS DE LA BIBLE

10. VENGEANCE

« A moi la vengeance, à moi la rétribution, dit le Seigneur » (1). Dans la Bible, le mot *vengeance* pris dans son sens spirituel signifie *justification.* C'est la justification de la Vérité à l'égard des provocations, des accusations de peur et d'incompréhension.

Nous savons que par nature l'Etre est perfection, harmonie inaltérables. Cette Vérité est absolue, rien ne peut la changer.

Nous pouvons bien sûr, accepter certaines erreurs concernant la Vérité, et tant que nous nous le permettrons, nous serons leur esclave. Nous vivons également dans la crainte ; or la peur n'est que le manque de confiance en Dieu.

Puis, nous prenons, enfin, la décision de prier, de nous tourner vers Dieu et nous nous efforçons de comprendre la Vérité de notre mieux. Aussitôt, l'action de Dieu se fait sentir : nos craintes commencent à se dissiper ; nous constatons que les circonstances mauvaises dont nous souffrions s'améliorent d'une manière constante.

Ainsi la Vérité de l'Etre et la bonté de Dieu sont *justifiées* une fois de plus dans notre vie.

Si quelqu'un paraît nous avoir fait du mal, au lieu de nous attarder sur ce fait, avec rancune, cessons complètement d'y penser, et prenons conscience de la bonté, de l'harmonie divines en celui qui nous a fait du tort et en nous-mêmes. C'est là la *justification,* ou si vous préférez, la « vengeance » spirituelle qu'enseigne la Bible. Non seulement, elle rétablit l'harmonie dans tous les cas, mais elle nous fait faire spirituellement de grands progrès.

---

(1) Romains 12 : 19.

LES MOTS CLEFS DE LA BIBLE

11. VIE

JESUS a déclaré qu'il était venu pour que nous ayons la *vie* et que celle-ci soit plus abondante (1). On trouve souvent dans la Bible le mot *vie,* et chaque fois il est sous-entendu, que c'est la plus grande des bénédictions. « Je le rassasierai d'une longue *vie* » (2). « Tu me feras connaître le sentier de la *vie* » (3). « Garde ton cœur plus que toute autre chose, car de lui viennent les sources de la vie » (4). Jésus dit que ceux qui le suivent auront la lumière de la *vie.* Enfin le but suprême de l'homme est désigné tout au long de la Bible comme étant la *vie éternelle.*

Quelle est donc cette *vie* à laquelle la Bible fait allusion ? Nous ne tenterons pas dans ces quelques lignes de la définir. Qu'il suffise d'attirer votre attention sur le fait que vous ne faites l'expérience de la vie que lorsque vous êtes heureux, que vous vous sentez libre, utile, joyeux, que vous ignorez la peur et le doute.

Bien que ces moments soient plus rares qu'ils ne le devraient, chacun de nous en a connu dans son existence ; il se sentait vivre pleinement, la *vie* était pour lui un bonheur. Le reste du temps, nous n'avons pas la *vie* telle que l'entend l'Ecriture.

C'est pourquoi lorsque la Bible nous promet, dans certaines conditions, une longue vie, elle nous fait entrevoir aussi une longue période de bonheur et de liberté. Et quand elle nous promet *la vie éternelle*, elle nous assure que ces bienfaits dureront à jamais.

Une longue vie physique remplie de luttes, de souffrances, de désappointements, un âge avancé dépourvu de joie et d'espoir, n'ont aucun rapport avec cette longue vie dont parle la Bible ; ce n'est en réalité qu'un aspect de la mort.

La vie, au sens biblique, est digne d'être vécue ; c'est le bien suprême et elle nous est promise à condition que nous obéissions à la Grande Loi, c'est-à-dire que nous cherchions à mieux connaître Dieu et Lui donnions partout la première place.

---

(1) Jean 10 : 10.
(2) Psaume 91 : 16.
(3) Psaume 16 : 11.
(4) Proverbes 4 :23.

QUE CECI SOIT BIEN CLAIR

VOUS êtes — étant donné votre vraie nature — un être divin et vous ne faites qu'un avec Dieu — maintenant.

La Loi de l'Etre est perfection, harmonie inaltérable.

Vous ne pouvez connaître, vous ne pouvez faire que ce qui correspond à votre état d'esprit, mais tout peut changer par vos efforts intelligents et persévérants.

Vous démontrez dans votre vie tout ce à quoi vous croyez vraiment.

Toute action, tout événement n'est qu'une image projetée par la pensée.

L'amour divin est absolument tout puissant; rien ne peut le limiter.

Nous ne prétendons pas que nous sommes bien portants quand nous sommes malades, mais nous disons que cette inharmonie n'a pas de réalité. C'est une ombre passagère projetée par des pensées fausses et qui peut être dissipée par des pensées justes.

Le secret du bonheur et de l'harmonie réside dans la paix de l'Esprit — il n'en est point d'autre. Vous trouverez cette paix de l'Esprit en vous mettant en règle avec Dieu

Vouloir forcer quoique ce soit, c'est toujours une erreur. Le bien se manifeste sans avoir recours à la violence.

Tout passe. Rien de ce qui appartient au monde matériel n'a de durée ou n'est d'une importance transcendante.

Du point de vue positif, il est inutile de se hâter.

Tes jours sont conformes à tes pensées.

PAS D'HYPOTHEQUE SUR AUJOURD'HUI

LES événements que vous traversez sont toujours à l'image de votre pensée à ce moment-là. Ce que vous croyez, ce que vous comprenez au plus profond de vous-même s'extériorise dans les circonstances de votre vie.

Les gens s'imaginent que les événements d'aujourd'hui sont la conséquence de ceux d'hier. Ils croient que ce qui leur advient samedi résulte de ce qu'ils ont dit par exemple lundi, tout au moins s'ils étudient la métaphysique, de ce qu'ils ont pensé lundi.

Ce n'est pas le cas. Ce qui vous arrive le samedi est l'effet pur et simple de votre pensée de samedi et non point de celle de lundi, de mardi, ou d'un moment quelconque de votre vie. Cela revient donc à dire que si vos pensées sont justes samedi, cette journée sera bonne, indépendamment de ce qui s'est passé auparavant.

Les pensées que vous entretenez samedi peuvent résulter d'événements antérieurs ; c'est du reste ce qui se passe si vous ne faites rien à cet égard. Mais si vous changez les pensées que vous avez samedi — comme cela vous est loisible — alors les événements qui surviendront ce jour-là pourront être harmonieux et agréables.

Supposons, par exemple, que vous receviez de très mauvaises nouvelles lundi. Cela vous cause une impression de tristesse et de crainte (le lundi). Vous vous attendez à de graves conséquences dans un proche avenir. Peut-être le coup s'abattra-t-il samedi ? Ce jour-là, vous pensez à vos ennuis et ce que vous craignez ne peut manquer de se produire, mais c'est votre pensée négative de samedi qui en est responsable et pas du tout l'événement de lundi, ni même la crainte que vous avez éprouvée ce jour-là.

Le monde s'imagine que le malheur de samedi a été provoqué par quelque chose qui s'est passé lundi ou auparavant, mais le monde se trompe. Il n'est point de cause et d'effet provenant de l'extérieur se réalisant à l'extérieur ; tout provient toujours de l'intérieur avant de se matérialiser à l'extérieur. Chaque jour, chaque instant est vraiment le début d'une vie nouvelle. Ce que nous appelons souvenirs ne sont en réalité que des pensées que nous avons dans le présent, comme du reste ce que nous appelons anticipation. Personne n'a jamais vécu ailleurs que dans le présent. Savoir cela, c'est franchir une porte qui s'ouvre sur la liberté.

« Voici maintenant le temps favorable, voici le jour du salut » (1).

---

(1) II Cor. 6 : 2.

VOULOIR C'EST POUVOIR

IL n'est pas de désir véritable sans une faculté correspondante et pas de faculté sans occasion favorable.

Quand réellement vous désirez être ou faire quelque chose, je dis bien, *réellement,* c'est le signe que Dieu veut que vous le fassiez et Il vous a signifié Sa volonté en vous dispensant la faculté nécessaire. Votre désir est en somme cette faculté elle-même qui se fait connaître à vous par son envie de s'exprimer.

Les gens font toutes sortes de souhaits éphémères, mais souhaiter n'est pas désirer profondément. En été, ce garçon voulait devenir joueur professionnel de base-ball, mais en hiver il aspire à être champion de ski, et vingt-quatre heures après le grand incendie du quartier, il veut être pompier. Sa sœur va à l'opéra et les bouquets dont est comblée la prima dona lui donnent envie d'être chanteuse, mais un mois plus tard, quand une femme reçoit le prix Nobel, elle s'imagine qu'elle voudrait être, elle aussi, une grande chimiste.

Tout cela ne constitue pas de vrais désirs. Ce sont des caprices passagers. Un désir réel ne varie pas et grandit à mesure que le temps passe, au lieu de s'affaiblir. Il est ferme et calme.

Edifiez profondément votre désir en y pensant, en étudiant la question, en voyant des gens et des lieux s'y rapportant, et surtout en affirmant que Dieu qui vous a inspiré ce désir, vous en accordera aussi la réalisation.

Puisque le désir et la faculté qui y correspond sont en vous, il est inutile de rechercher l'occasion favorable. Cette porte s'ouvrira automatiquement.

La sagesse divine, maintenant, fraie mon chemin.

DIEU SAIT TOUT

EN tout temps, Dieu sait tout. C'est pourquoi Il ne peut rien découvrir ». Il ne Lui est pas nécessaire de faire, comme nous, certaines expériences pour voir ce qu'il en adviendra. Dieu n'a pas besoin de mettre quelqu'un à l'épreuve pour savoir s'il est courageux ou avisé, car déjà, Il sait tout.

La Bible montre parfois Dieu Se mettant en devoir d'apprendre quelque chose ou Le représente ayant changé d'idée, ou encore trompé dans Son attente. Dieu aurait soi-disant mis à l'épreuve l'obéissance d'Abraham en lui demandant le sacrifice d'Isaac. D'autre part, Ses desseins auraient été bouleversés par le comportement d'Adam et d'Eve et par la méchanceté générale de l'humanité avant le déluge. Il est certain qu'on Le représente souvent désappointé et même frustré dans Ses espérances par la conduite des hommes.

Dans la théologie orthodoxe, le diable ne cessait de déjouer les dispositions de Dieu et faisait échouer Ses plans. A entendre certains prédicateurs, on aurait pu croire vraiment que le Diable était beaucoup plus puissant que Dieu.

Il est évident que tout ceci est absurde et ne

peut être vrai de Dieu. C'est *l'idée qu'Abraham se faisait* de Dieu qui l'a poussé à sacrifier son fils, et c'est son Moi le plus haut, le Christ en lui, qui a sauvé celui-ci. C'est l'idée que Pharaon se faisait de Dieu qui lui a endurci le cœur. C'est la méchanceté de l'humanité avant le déluge qui a provoqué ce cataclysme qui en fut la conséquence naturelle, de même que la peur, la haine, la jalousie, la cupidité de l'humanité ont suscité des guerres au cours de son histoire.

Nous nous faisons une idole de nous-mêmes et l'appelons Dieu. Détruisons, aujourd'hui, cette image pour adorer le vrai Dieu, le Dieu infini qui jamais ne varie.

LE DOUBLE TRAITEMENT

VOTRE esprit est-il hésitant ? Jacques dit que celui qui manque de fermeté « est un homme irrésolu dans toutes ses voies » (1) et qu'il ne peut espérer bénéficier de la Grande Loi.

C'est parler avec un bon sens évident. Si vous affirmez quelque chose à l'instant et dites le contraire dans une demi-heure ; si vos pensées positives à 10 heures sont négatives à 11 heures, si votre méditation est magnifique mais que sitôt finie, vous ne parliez que de vos ennuis, il est tout naturel que vous n'obteniez aucune démonstration.

Si vous preniez un taxi à la gare de Lyon en disant au chauffeur de vous conduire à la gare St-Lazare et que, place de la Bastille, ayant changé d'avis, vous donniez comme adresse le Panthéon, pour demander presque aussitôt de reprendre le chemin de la gare St-Lazare, et que vous changiez encore de destination en cours de route, vous ne pourriez espérer arriver quelque part. Quant à votre chauffeur, au bout d'un certain temps, il vous débarquerait tout simplement en vous disant sans ambages ce qu'il pense de vous. Eh bien, beaucoup de ceux qui prétendent étudier la métaphysique agissent de la sorte. Ils affirment à la fois l'harmonie et l'inharmonie, tant et si bien que leur subconscient ne sait plus à quoi s'en tenir et que leur vie n'est que confusion.

Nous pouvons encore nous contredire et neutraliser nos prières et nos affirmations en *affirmant* une chose et en *faisant* le contraire. Si admirable que soit notre affirmation, si nos actes démentent nos paroles, nous nous appliquons un double traitement et il ne peut en résulter que du désordre. Toute *parole,* toute *action,* constituent un double traitement. Quand elles se renforcent l'une l'autre, leur effet est puissant et certain le résultat. Quand elles sont en désaccord, elles s'annulent réciproquement, nous laissant à notre point de départ ou dans une situation pire.

Insistez tant que vous le pouvez sur l'élément harmonie et vous obtiendrez certainement des résultats.

---

(1) Jacques 1 : 5, 9.

LA CLEF DE LA VIE

LA Bible est le trésor le plus précieux de l'humanité. Elle contient la clef de la vie. Elle nous montre comment nous devons vivre pour posséder la santé, la liberté, la prospérité. Elle se met au niveau de chacun pour l'amener à Dieu. Elle renferme la solution de toutes les questions. Enfin, elle est composée d'œuvres littéraires remarquables, et elle est, de beaucoup, le plus intéressant de tous les livres. Notre version la plus connue, celle du Roi Jacques, est écrite dans un style et un anglais remarquables, qui n'ont jamais été surpassés. Les étrangers qui désirent se rendre maîtres de la langue anglaise se font un devoir de lire chaque jour la Bible dans cette version (1).

Néanmoins, la valeur réelle de la Bible réside dans son interprétation spirituelle. Quelles que soient les beautés apparentes de la Bible, celles qui se cachent derrière les symboles sont plus extraordinaires encore.

Ecoutez plutôt cette allégorie. Dans une île lointaine vivaient des sauvages fort intelligents. Ils excellaient dans leur art primitif, sculptaient de grossières statues, ornaient les murs de leurs cavernes de dessins d'animaux, mais ils ignoraient totalement l'alphabet et ne savaient par conséquent ni lire, ni écrire. Une caisse échoua, un beau jour, sur le rivage. Elle contenait une quantité de livres en parfait état. Ravis de l'aubaine, les indigènes s'imaginèrent que les pages imprimées étaient des modèles de dessins minutieux.

Leur trouvaille comportait un Shakespeare complet et un ouvrage de Wells. Penchés sur ces pages imprimées, ils admirèrent les formes des lettres et leurs curieuses dispositions. Ils n'avaient aucune idée de ce qu'elles signifiaient et continuèrent d'ignorer l'existence de Falstaff, de Portia, d'Hamlet ; ils ne se doutèrent jamais de l'enseignement renfermé dans le beau livre de Wells.

Eh bien, si vous avez lu la Bible jusqu'ici sans lui donner son interprétation spirituelle, vous êtes tout à fait dans la même situation que ces sauvages. Vous n'avez pas découvert le message important qu'elle vous apportait, car il se cache sous la surface. Les beautés extérieures de la Bible sont magnifiques, mais c'est *la vérité profonde qui s'y cache qui est le don suprême de Dieu.*

« Vous êtes dans l'erreur, parce que vous ne comprenez pas les Ecritures » (2).

---

(1) La version française Segond est aussi remarquable que celle du Roi James.
(2) Matthieu 22 : 19.

AVEZ-VOUS COMPRIS CES VERITES ?

NOUS l'aimons parce qu'il nous a aimés le premier. — I *Jean* 4 : 19.

A celui qui est ferme dans ses sentiments, tu assures la paix, parce qu'il se confie en toi. — *Esaïe* 26 : 3.

Il y a d'abondantes joies devant ta face, des délices éternelles à ta droite. — *Psaume* 16 : 11.

Voici, je fais toutes choses nouvelles. — *Apocalypse* 21 : 25.

Voici maintenant le temps favorable, voici le jour du salut. — II *Corinthiens* 6 : 2.

Cherchez premièrement le royaume de Dieu et sa justice ; et toutes ces choses vous seront données par-dessus. — *Matthieu* 6 : 33.

Voici, le royaume de Dieu est au-dedans de vous. — *Luc* 17 : 21.

Moi, je vous dis de ne pas résister au méchant. — *Matthieu* 5 : 39.

Ne te laisse pas vaincre par le mal, mais surmonte le mal par le bien. — *Romains* 12 : 21.

La lettre tue mais l'esprit vivifie. — II *Corinthiens* 3 : 6.

Quiconque invoquera le nom du Seigneur sera sauvé. — *Romains* 10 : 13.

Tournez-vous vers moi et vous serez sauvés,

vous qui êtes aux extrémités de la terre ! Car je suis Dieu, et il n'y en a point d'autre. — *Esaïe* 45 : 22.

Vous me chercherez et vous me trouverez, si vous me cherchez de tout votre cœur. — *Jérémie* 19 : 13.

Tout ce qui est manifesté est lumière. — *Ephésiens* 5 : 13.

Comme il était encore loin, son père le vit et fut ému de compassion. — *Luc* 15 : 20.

C'est à leurs fruits que vous les connaîtrez. — *Matthieu* 7 : 20.

Je vous ai portés sur des ailes d'aigle et amenés à moi. — *Exode* 19 : 4.

JE SUIS m'a envoyé. — *Exode* 3 : 14.

La maison qui sera bâtie à l'Eternel s'élévera à un haut degré de renommée. — I *Chroniques* 22 : 5.

Il envoya sa parole et les guérit. — *Psaume* 107 : 20.

C'est lui qui te fait rajeunir comme l'aigle. — *Psaume* 103 : 5.

Tu n'auras point d'autres dieux devant ma face. — *Deutéronome* 5 : 7.

Tous ces versets constituent un traitement extrêmement efficace.

QU'AVEZ-VOUS DANS LA TETE ?

VOUS connaissez tous la Grande Loi. On pourrait l'énoncer comme suit : *Tel père, tel fils. Dieu engendre le bien. Le mal est suivi du mal. Ce que nous semons en pensée, nous le récoltons dans notre vie.*

Si pendant toute la journée nous pensons d'une manière positive, constructive, bienveillante, nous susciterons santé, prospérité et liberté. Mais si d'heure en heure, notre pensée est négative, pessimiste, mesquine, nous ferons apparaître la maladie, l'échec et le malheur. Notre vie est-elle dominée par la Foi ? A mesure que s'écouleront les années, nous deviendrons plus riches, plus joyeux, nous nous sentirons plus jeunes. Par contre, si notre vie est influencée par la peur, les années en fuyant nous dispenseront la vieillesse, la décrépitude, les désillusions.

Chacun sait combien cela est vrai ; personne n'a l'ombre d'un doute à cet égard. Cependant, malgré la connaissance qu'ils ont de cette Vérité transcendante, les gens appliquent constamment cette Loi fondamentale à des fins destructives. Personne ne songerait à verser de l'eau dans le réservoir à essence de sa voiture, du sable dans sa montre ou du verre pilé dans ses aliments. On commet pourtant une absurdité tout aussi grande lorsqu'on pense, parle ou agit négativement. Connaissant la Loi, on ne peut s'empêcher de se demander ce qu'ils ont dans la tête, *un cerveau ou des copeaux ?*

Dieu merci, nous connaissons cette Grande Loi qui est la clef de la vie. Tout ce qui nous incombe, c'est de l'appliquer ; si cela s'avère un peu difficile au début — de même que pour acquérir une nouvelle habitude ou s'initier à une technique nouvelle — nous y parviendrons parfaitement avec de l'exercice et les résultats heureux se succéderont à une rapidité inimaginable.

A l'avenir, quand vous vous surprendrez en train de penser négativement, dites-vous sévèrement : « Qu'as-tu donc dans la tête ? un cerveau ou des copeaux ? » et tournez-vous immédiatement vers ce que vous savez être la Vérité.

LE CAFRE NE SAVAIT PAS

UN jour, au milieu du siècle passé, un voyageur parcourait seul une contrée perdue de l'Afrique du Sud. Il passa la nuit dans un village indigène et, le lendemain matin, tout en fumant sa pipe devant une case, il remarqua un groupe de petits enfants nus en train de s'amuser ; leur jeu paraissait une transposition africaine de notre jeu de billes. Il les observa nonchalamment pendant un certain temps, puis quelque chose dans l'apparence des pierres dont ils se servaient attira son attention. Tout à coup, son cœur battit la chamade ; il se rendit compte que ces cailloux étaient de petits diamants bruts valant une fortune. Il s'en fut vers le père des enfants avec une indifférence étudiée et le Cafre lui dit: « Oui, les petits aiment bien s'amuser avec ces pierres. Ils en ont encore d'autres dans la case », et il lui montra une petite corbeille qui en contenait plusieurs.

Réprimant son émotion, le voyageur prit une grosse carotte de tabac, qui ne valait que quelques francs dans son pays, et dit : « J'aimerais bien les rapporter à mes enfants. Voudrais-tu me les échanger contre ce tabac ? » Le Cafre se mit à rire : « Je te vole ! mais puisque cela te fait plaisir, marché conclu ».

Non seulement l'explorateur s'enrichit plus qu'il ne l'avait jamais espéré dans ses rêves les plus fous, mais cet incident amena par la suite la découverte des champs diamantifères de l'Afrique.

Cette anecdote est fort intéressante, car l'attitude du Cafre est celle de la plupart des êtres humains. En effet, l'homme possède un trésor fabuleux — le pouvoir de la Parole — et cependant, il l'ignore en général. Il continue à souffrir de la peur, des maladies, de la médiocrité. En prononçant la Parole d'une manière constructive, il obtiendrait un bien illimité. Il possède un trésor mais il ne le sait pas.

Dans la Bible, les pierres sont les symboles des vérités spirituelles. Ramassons, aujourd'hui, quelques-unes de ces pierres dédaignées, polissons-les, afin qu'elles enrichissent et en embellissent notre vie.

QUALITE DE LA PENSEE

CE qui importe, c'est la *qualité* habituelle de votre pensée. Voilà qui gâche ou enrichit votre vie. Ce n'est pas tellement une pensée particulière — bonne ou mauvaise — mais la valeur, le ton habituel de vos pensées qui détermine votre sort.

Peut-être vous surprendrez-vous à penser négativement de temps à autre, pendant la période où vous vous disciplinerez, mais à la longue, le caractère général de vos pensées sera positif et constructif et vos oublis occasionnels n'auront pas grande importance. Par ailleurs, des traitements appliqués de temps en temps ne seront guère efficaces si le caractère général de votre pensée est médiocre. *Ce qui importe, c'est sa qualité habituelle.*

Une pensée élevée est comme le gaz de bonne qualité, elle implique à la fois de la force et de l'efficacité. Notre époque offre des occasions magnifiques de travailler et de réussir. Nous nous trouvons en face d'un monde meilleur, or ceux qui réussissent ont pris l'habitude de penser d'une manière constructive.

Chacun se rend compte que l'ère des privilèges est révolue et que, seule, la valeur de l'individu comptera de plus en plus.

Votre pensée sera d'une qualité élevée, si vous avez conscience que Dieu agit par votre intermédiaire dans tout ce que vous faites — cette vérité si simple est d'une puissance et d'une efficacité inimaginables. Si vous croyez vraiment que Dieu travaille par votre entremise, la qualité de votre travail sera si remarquable, vous serez si bien inspiré, que tout obstacle s'effondrera devant vous. Une bonne volonté inattendue se manifestera dans votre vie et vous serez une source de bénédiction pour tous ceux qui vous entourent.

La pensée constructive et positive a pour conséquence pouvoir et réalisation.

LE SECRET DES BONNES AFFAIRES

EN réalité, pour faire de bonnes affaires, il faut être utile au client éventuel en lui vendant les articles dont il a besoin. Il faut insister sur ce point. On doit aider le client, lui rendre service. Cela ne veut pas dire profiter de lui d'une manière quelconque et certainement pas le pousser à acheter ce dont il n'a pas besoin ou ce qui est trop cher pour lui. Ce n'est pas non plus faire semblant de lui donner ce qu'il demande tout en lui « refilant » un article différent ou de qualité inférieure. Cette façon d'agir ne s'appelle pas vendre, mais voler purement et simplement.

La vente bien comprise consiste à découvrir ce qui est vraiment nécessaire à votre client, à le lui procurer et si cela ne vous est pas possible, à lui conseiller d'aller ailleurs. Cette manière de procéder ne constitue pas une perte, comme on pourrait le croire. Au contraire, c'est mettre en pratique la Règle d'Or, et cette méthode rendra vos affaires florissantes plus rapidement que n'importe quelle autre. Les gens sentent d'instinct l'honnêteté et la sincérité, et ces deux qualités leur inspirent confiance. En travaillant de la sorte, il est possible que votre droiture vous fasse perdre une affaire, mais elle vous en fera faire une douzaine d'autres à la place et vous aurez la paix de l'esprit. Tout vendeur intelligent sait qu'un certain article ou un certain client importe peu, ce qui compte c'est le bilan de fin d'année.

Si le client ou vous, avez quelque hésitation, dites-lui de réfléchir et de revenir plus tard. Quand l'acheteur n'est pas satisfait, aidez-le à revenir sur sa décision.

Cette méthode — la Règle d'Or — a été enseignée par Jésus, le plus sage, le plus réaliste des Maîtres qui aient jamais vécu. C'est le grand secret du succès en affaires. C'est le seul moyen d'augmenter les ventes.

Vendeur ! Traite ton client comme tu voudrais qu'il te traitât si les rôles étaient renversés. Renseigne-le exactement sur la marchandise comme tu voudrais l'être si tu étais l'acheteur, et si tu agis de la sorte, l'univers coopérera avec toi pour faire de ta carrière une brillante réussite.

LA TREIZIEME HEURE

QUELQUES démonstrations magnifiques surgissent à la onzième heure. D'autres surviennent à la douzième et il arrive que les plus spectaculaires attendent la treizième heure — à condition que vous gardiez l'attitude mentale convenable.

Après tout, qu'est-ce qu'un traitement ? C'est simplement adopter une attitude mentale différente et correcte, absolument opposée à l'attitude mentale incorrecte qui a causé vos difficultés. C'est apprendre à connaître la Vérité de l'Etre au lieu de s'en tenir à l'erreur. Beaucoup se rendent compte de cela et travaillent dans la bonne voie — pendant un certain temps. Si cependant la démonstration ne s'effectue pas un peu avant la onzième heure, ils se désespèrent et abandonnent la partie ; naturellement, leur prière ne reçoit pas de réponse. Cela prouve simplement qu'ils ne croient pas vraiment aux affirmations qu'ils font de la Vérité. Ils pensent, en somme : « Tout cela sera vrai si j'obtiens rapidement ce que je désire ». C'est exactement comme s'ils disaient « Tout cela est faux ».

Si vos affirmations de la Vérité sont justes,

elles le sont que vous trouviez ou non la solution d'un problème particulier ; elles sont vraies que la victoire apparaisse à onze heures, à midi ou à une heure.

Déclarez la Vérité de l'Etre à l'égard de ce qui vous préoccupe, ayez foi en cette vérité quoi qu'il advienne. Demeurez ferme, même quand la douzième heure aura sonné, et vous serez surpris des bénédictions merveilleuses dont vous serez comblé à la treizième heure.

POURQUOI EST-CE ARRIVE ?

« TOUT ce qu'un homme sème, il le moissonnera aussi », déclare la Bible. Cela signifie que si nous semons des pensées de santé et d'harmonie, nous moissonnerons en conséquence, et que si nous semons des pensées de maladie, de peur, d'inimitié, nous en récolterons le fruit. Semer une pensée, au sens biblique, c'est y croire de tout son cœur ; or ce que nous croyons de tout notre cœur, nous le démontrons infailliblement.

Vous allez dire, peut-être, que vous avez un parent ou un ami alité — malade ou victime d'un grave accident — or vous aimeriez savoir pourquoi cela lui est arrivé. Vous êtes certain que c'est un chrétien authentique, qu'il a un cœur d'or et la main ouverte. Comment se fait-il que Dieu n'intervienne pas en sa faveur ?

Cette question illustre parfaitement une conception erronée de la vérité métaphysique, admise par de nombreuses personnes. La Grande Loi veut que nous démontrions ce que nous croyons. Votre ami est sans doute quelqu'un de très bien sous beaucoup de rapports et il en sera normalement récompensé, mais il croit à la réalité de la maladie. Il croit que ses poumons, son cœur ou quelque autre partie de son corps sont des organes physiques soumis à des lois particulières, sujets à la maladie, indépendamment de sa façon de penser.

Voilà, en réalité, ce qu'il croit et, évidemment, ce qu'il démontre.

Quand il cessera d'ajouter foi à tout cela, quand il croira que son corps est spirituel, que la maladie n'a d'autre pouvoir que celui qu'il lui accorde par sa pensée, il constatera qu'il est guéri.

Toute souffrance est un signal de la nature qui nous avertit que nous avons entretenu des pensées erronées sur tel ou tel sujet ; rien ne peut nous en délivrer si ce n'est un changement radical dans notre manière de penser.

Nous démontrons ce que nous croyons.

DOIS-JE ME COUPER LA GORGE ?

UN homme très en peine vint me voir un jour à Londres. Il avait suivi quelques-unes de mes conférences et désirait que je lui donne un conseil.

Il était propriétaire d'une grande épicerie dans le sud de l'Angleterre et jusqu'alors n'avait pas eu de concurrent. Or, une maison de commerce comprenant tout un réseau de succursales allait en ouvrir une juste en face de chez lui et il était affolé.

Son père et son grand-père avaient mené cette affaire avant lui ; il avait passé toute sa vie dans cette boutique au-dessus de laquelle il demeurait, bref, c'était tout son univers. Comment lutter contre eux ? Je suis ruiné, se lamentait-il.

— Vous avez, lui répondis-je, étudié la Vérité pendant plusieurs années et vous connaissez la Grande Loi. Vous savez aussi d'où provient votre abondance, alors pourquoi avoir peur ?

— Il faut absolument que je fasse quelque chose, insista-t-il.

— Tous les matins, tenez-vous immobile dans votre boutique et bénissez-la. Demandez que par son intermédiaire la Puissance divine œuvre pour la prospérité et la paix de tous ceux qui sont en jeu. Il inclina la tête en signe d'acquiescement.

— Puis, ajoutai-je, avancez-vous sur le trottoir, regardez dans la direction du magasin qu'on installe et bénissez-le de même.

— Quoi - cria-t-il presque, quoi ! que je me coupe la gorge ? Faut-il donc que je contribue à ce que les autres me nuisent ?

Je lui expliquai que ce qui est une source de bénédiction pour l'un l'est aussi pour les autres ; que le traitement est constructif et accroît les affaires ; enfin, que la seule chose qui pouvait l'appauvrir, c'était sa peur. Je lui dis qu'en réalité, il détestait son concurrent (parce qu'il le craignait), que cette inimitié pouvait être la cause de sa propre ruine et que bénir son « ennemi » était le moyen de se débarrasser de cette hostilité. Je conclus par ces mots : « En priant, vous ne vous couperez pas la gorge, bien au contraire, vous pourrez améliorer toutes choses ». Il me fallut un certain temps pour le persuader, mais il finit par comprendre et suivit mes conseils. Quand je le revis, quelques années plus tard, il me confia que *ses affaires étaient plus florissantes que jamais* depuis que la maison concurrente s'était installée et que, du reste, celle-ci avait l'air de bien marcher aussi. Il avait donc à la fois, la richesse et la paix.

C'est ce que Jésus entendait quand il a dit : « Aimez vos ennemis ».

LES RAVAGES DES SAUTERELLES

Je vous remplacerai les années qu'ont dévorées les sauterelles.

Joël 2 : 25.

VOUS pouvez changer le passé. Il n'est pas nécessaire de se lamenter sur des fautes commises il y a quelques heures ou quelques années. On peut les transformer.

Voilà qui vous paraît fort contestable et semble probablement une folie pour le lecteur accidentel ; mais, pour celui qui étudie la métaphysique, cela n'a rien d'étonnant puisqu'il sait que ce que nous appelons le temps n'a pas de réalité.

L'harmonie parfaite est la Loi de l'Etre. Cette vérité est immuable. Tout mal apparent, toute erreur commise par vous ou à votre détriment est quelque chose à quoi vous croyez à tort (cela a l'air terriblement vrai parfois, mais néanmoins vous croyez à quelque chose qui est faux). C'est une sorte de rêve. Ce qu'il en est, c'est que vous ou d'autres, croyez quelque chose de faux.

Vous cessez d'y croire, vous détruisez cette idée en vous-même, en prenant conscience que seule l'action de Dieu s'est manifestée où vous aviez cru voir une faute et dès lors vous allez obtenir certains résultats.

Vous oublierez tout ce qui concerne cette faute. Tous ceux qui étaient au courant n'y penseront plus. Les conséquences multiples qu'entraînait cette erreur disparaîtront et tout rentrera dans l'ordre comme si rien de fâcheux ne s'était passé. Celui qui a commis la faute n'aura jamais le désir de recommencer. Tout s'évanouira de la mémoire humaine et *n'existera plus.*

Vous comprendrez que c'est en cela que consiste « le pardon des péchés ». Ici, naturellement, le mot « péché » s'applique à toute erreur susceptible d'être commise.

Les années que les sauterelles ont dévorées est une idée fausse. Les sauterelles représentent, du reste, vos pensées erronées et les ravages qu'elles ont causés est aussi une pensée fausse. « Vous êtes Esprit divin et votre vie est cachée avec Christ en Dieu » (1).

C'est cela la Bonne Nouvelle.

---

(1) Colossiens 3 : 3.

REALISEZ VOTRE REVE

BEAUCOUP de gens s'abandonnent de temps à autre à leur fantaisie, ou rêvent tout éveillés. Il n'y a pas de mal à cela tant qu'on n'y perd pas trop de temps, mais il est essentiel de veiller à ce que ces rêveries soient *positives* et *constructives.* A moins que vous ne soyez endormi, vous pensez continuellement ; or, vous savez que du choix de vos pensées dépend votre destinée. Ne permettez pas à votre rêverie de n'être qu'un prétexte pour échapper au présent. Ce serait fuir vos difficultés et, partant, commettre une lâcheté aussi dangereuse que de prendre un narcotique.

La rêverie est une évasion quand elle consiste à s'imaginer quelque chose d'agréable que vous considérez néanmoins comme étant impossible parce que « ce serait trop beau pour être vrai ». Ce genre de rêverie est un gaspillage de temps et d'énergie, c'est un affaiblissement de l'âme et des facultés mentales. Faire du sentiment sur ce qui est irrémédiablement révolu est, du reste, une erreur du même genre.

Il est des gens dont les songeries se plaisent à évoquer toutes les choses désagréables qui pourraient leur arriver. Ils voient défiler un cortège de disputes, d'accidents, d'injustices imaginaires et de tous les malheurs possibles. Comme ils sont disposés à croire, malheureusement, que tout cela peut leur arriver et sans doute leur arrivera, et que la pensée est créatrice, ils en amènent la réalisation de cette manière.

Veillez à ce que vos rêveries ne soient occupées que des événements agréables que vous voudriez voir survenir dans votre vie. Vous savez que tout ce qui est favorable peut se réaliser ; souvenez-vous que votre pensée est créatrice et *vos rêveries se matérialiseront* pour votre plus grand bien.

PAS MORT, MAIS ENDORMI

On trouve dans la plupart des hôtels, en Amérique, une pancarte portant ces mots: « Prière de ne pas déranger ». La personne qui occupe la chambre n'a qu'à la suspendre à l'extérieur de sa porte pour être certaine qu'on la laissera tranquille. Elle pourra, de la sorte, dormir tant qu'elle voudra.

Certains semblent avoir accroché à leur cerveau un avis de ce genre ; les idées nouvelles les irritent ; ils redoutent même d'avoir à considérer les choses familières sous un jour nouveau, plus favorable. On pourrait presque dire que ces gens-là regardent toute idée nouvelle comme une injure personnelle.

Leur vie est un long assoupissement, un état à demi-comateux. Ils répètent, sans cesse, machinalement, des lieux communs et ressassent à l'infini de vieilles idées. On pourrait dire d'eux : *Ils ne sont point morts mais ils dorment* et, en vérité, leur conscience est un cimetière mental.

Si vous dormez de la sorte, couché dans une tombe d'idées défuntes et d'opinions périmées, prenez votre courage à deux mains, frottez-vous les yeux pour vous éveiller de votre sommeil mental et mettez-vous à vivre, aujourd'hui, conformément aux idées du temps présent.

Aujourd'hui, est le jour du salut. Commencez à l'instant même à orienter une partie importante de votre vie d'une manière nouvelle. Aujourd'hui, rompez au moins un des maillons rouillés de votre chaîne. Dès que vous aurez commencé, vous serez surpris de voir jusqu'où vous irez et les choses extraordinaires que vous accomplirez.

« Réveille-toi, toi qui dors, relève-toi d'entre les morts, et Christ t'éclairera » (1).

---

(1) Ephésiens 5 : 14.

LA LICORNE

La Licorne veut-elle être à ton service, passe-t-elle la nuit vers ta crèche ? L'attaches-tu par une corde pour qu'elle trace un sillon ? Va-t-elle après toi briser les mottes dans la vallée ?

Job 39 : 12, 13.

TANT que nous persistons à vouloir dicter Sa conduite à Dieu, nos prières n'ont guère d'effet. Quand nous cherchons à influencer Dieu, nous n'avons recours qu'à notre intelligence et à notre volonté ; or, comment celles-ci pourraient-elles nous rendre meilleurs que nous ne le sommes ?

Tout problème correspond à une lacune en l'homme ; comment celui qui provoque la difficulté pourrait-il la surmonter ?

Le bœuf, le mulet et même l'âne obéissent et tirent la charrue ou la charrette et vont où vous voulez, à condition, naturellement, que vous sachiez où cela se trouve et comment on y va.

La Licorne, elle, ne se laisse pas asservir. On ne peut l'atteler, ni lui faire tourner la meule. Elle ne suit pas une route désignée et n'obéit point aux ordres.

Elle sait où elle va, or ce n'est jamais l'endroit que vous auriez choisi pour la raison que vous ne le connaissez pas et que votre état de conscience actuel ne vous permet même pas de l'imaginer.

Pourtant ces lieux existent, la Licorne les connaît, et ce sont les seuls qui l'attirent. Il se peut qu'un jour, au moment où vous vous y attendrez le moins, la Licorne, soudain, surgisse à vos côtés, les yeux flamboyants, les narines frémissantes, les pattes grattant le sol avec impatience. Quand cela arrivera, ne tentez pas de lui passer un licol et de la faire travailler. Elle s'y refuserait ; du reste vous n'en auriez pas le temps. A peine apparue, elle disparaîtra. C'est pourquoi ne réfléchissez pas, ne regardez pas derrière vous, enfourchez-la car c'est un coursier volant et ses ailes l'emportent vers les portes de l'Aurore.

Au cours de cette chevauchée, les problèmes ne sont pas résolus ; *ils n'existent plus.*

NE PILLEZ PAS LES TOMBES

NE soyez pas un pilleur de tombes. Laissez les cadavres en paix. En temps voulu, la Nature fera le nécessaire, si vous laissez ces restes en repos.

Chaque fois que vous exhumez un vieux grief, une faute ancienne en y repensant ou, ce qui est pire, en en parlant, vous violez une tombe et vous savez parfaitement ce que vous y trouverez.

Vivez le moment présent. Priez pour les difficultés urgentes. Préparez intelligemment l'avenir, ne vous occupez pas du passé. C'est ce que Jésus entendait par ces paroles : « Laissez les morts enterrer les morts ». Penser au passé, c'est être mort.

Chaque fois que cela vous arrive, vous fortifiez, dans la mesure où vous le faites, votre foi en les limites du temps ; vous vous vieillissez, vous vous affaiblissez.

Dieu dit : « C'est aujourd'hui le jour du salut. Voici, j'ai fait toutes choses nouvelles ». Il sait mieux que vous ce qu'il faut faire.

Aujourd'hui, faites-vous une loi qui vous interdira de toucher mentalement à rien de ce qui a pu vous arriver de négatif jusqu'à cet instant — et tenez-vous-y.

La vie est trop précieuse pour qu'on perde son temps à piller des tombes. Le passé est passé, *liquidez-le.* C'est le grand secret pour traiter les injustices, les maladresses, les désappointements, *liquidez-les.* Vous y arriverez en les effaçant tout simplement de votre mémoire et en refusant de leur accorder une existence au moment présent.

Si un souvenir négatif vous revient à la mémoire, brûlez-le au feu de l'Amour divin, et oubliez-le.

Etant donné que le présent est d'un intérêt passionnant, que l'avenir sera aussi magnifique que vous l'aurez décidé, vous êtes vraiment stupide de gaspiller la substance de votre âme pour ce qui est mort à jamais.

Pas de pillages de tombes !

INSPIRATION ET EFFORT

VOUS avez entendu parler des mouvements respiratoires. Ils sont indispensables pour accomplir quoique ce soit. Que l'un ou l'autre fasse défaut, ce que vous avez entrepris est voué à l'échec. Si donc votre vie n'a pas été aussi heureuse que vous le souhaitiez, il faut que vous cherchiez et trouviez quel élément vous avez négligé.

Je suis certain qu'il n'est pas nécessaire de vous rappeler que le phénomène en question est composé de *l'inspiration* et de *l'expiration.* Ces deux puissantes fonctions jumelles président à toute activité.

Vous avez besoin d'abord d'inspiration. « Si l'Eternel ne bâtit la maison, ceux qui la bâtissent travaillent en vain » (1). Un dur labeur, un effort aveugle ou des coups de marteau brutaux n'obtiendront aucune réussite. Ils vous tueront peut-être, mais de toute façon, ils sont inopérants. Il faut que votre inspiration soit permanente.

Ensuite, l'effort entre en jeu. Il n'est point de réussite sans un travail soutenu et persévérant pour arriver au but.

Jeunes lecteurs, mes amis, veuillez prendre

note de ceci : il n'est aucune réussite sans travail assidu. J'ai entendu, dernièrement, un des plus grands musiciens actuels qui, s'adressant aux élèves d'un Conservatoire, leur disait : « En ce qui me concerne, je ne connais aucun autre moyen pour réussir que le travail acharné. S'il est une autre voie, qui mène au succès, elle m'est inconnue ».

En entendant cela, j'ai ajouté mentalement: « Travaillez assidûment, mais que vos études ne se transforment pas en travaux forcés ! »

Journellement, entrez en contact avec Dieu pour en recevoir votre inspiration, puis travaillez de toutes vos forces, mais faites-le *comme si c'était pour vous un jeu.*

Voilà une formule infaillible pour réussir dans tous les domaines.

---

(1) Psaume 127 : 1.

L'HYMNE DIVIN

QUI êtes-vous ? Vous êtes-vous jamais posé cette question ? Il est fort probable que non. Cela vous aurait semblé absurde, en effet; votre identité allant de soi. Cependant, si quelqu'un vous avait posé cette question, vous auriez répondu : « Je suis Henri Dupont, fils de Jean Dupont. J'ai tel âge. Je demeure à tel endroit et suis dans les affaires ».

Peut-être auriez-vous ajouté que vous apparteniez à une Eglise reconnue et au parti politique le meilleur.

Evidemment, ces renseignements sont corrects dans une certaine mesure ; ils décrivent l'image que vous projetez actuellement ; mais — et voilà le point faible, ce n'est qu'une image, et celle-ci n'exprime que ce que, sincèrement, vous croyez être. Or, elle ne dépeint pas votre être réel. Ce n'est que la représentation fugitive et instable de votre attitude mentale courante, rien de plus.

Votre moi réel est un être spirituel, parfait, éternel et incorruptible. Votre moi réel est une expression vivante de Dieu Lui-même, manifestant en puissance toutes Ses qualités, car vous avez été créé « à Son image et selon Sa ressemblance ».

Qu'est-ce que l'homme ? C'est une parcelle de l'expression de Dieu, de l'hymne divin. Un chant, vous le savez, exprime la nature du chanteur. L'instrument dont dispose celui-ci ne se borne pas, en effet, à ses cordes vocales, mais comprend, en outre, la totalité de son esprit et de son corps. Que le chanteur soit malade, fatigué, irrité, son chant s'en ressentira. Mais si son cœur déborde de joie, de beauté et d'Amour divin, son chant l'exprimera de même. L'homme étant le chant du Divin Chanteur, l'harmonie céleste est sa nature.

Et pourquoi Dieu chante-t-Il ce chant ? Il n'a d'autre but que d'exprimer Son allégresse ; Il n'espère ni gain, ni avantage. Dieu s'exprime de la sorte par pure joie de vivre — parce qu'Il est Dieu.

Voilà la Vérité absolue et réelle, mais il nous appartient de la démontrer, de la réaliser dans le domaine pratique afin de transformer l'image bornée que nous *percevons* en une Vérité magnifique que nous *connaissions*.

« J'ai dit : Vous êtes des dieux et vous êtes tous les enfants du Très Haut » (1).

---

(1) Psaume 82 : 6. — Jean 10 : 34.

FUIR LA VIE

L'ENSEIGNEMENT spirituel nous recommande de ne pas nous appesantir sur nos ennuis, mais de prendre, au contraire, conscience de la présence de Dieu dans ce qui, apparemment, nous tourmente. Nous constatons qu'avec un peu d'entraînement, nous y parvenons sans grande difficulté.

Certains critiques ont suggéré que cette manière d'agir consistait, en somme, à « fuir la vie ».

Vraiment ? Voyons un peu !

Si vous vous trouviez à l'intérieur d'une maison en flammes, que feriez-vous ? Il va sans dire que vous la quitteriez le plus rapidement possible.

Appelleriez-vous cela « fuir la vie » ? Ne serait-ce pas plutôt « chercher la vie » ? C'est l'évidence même.

La maladie, le péché, la peur, les déficiences ne constituent pas la vie, mais une mort partielle ; c'est pourquoi il faut triompher de tout cela en se tournant vers la vie qui est harmonie divine.

La souffrance ne nous apprend-elle rien ? Si, bien souvent ; il y a même des gens qui ne s'instruisent que grâce à elle. Pourtant, c'est en surmontant ce qui est négatif, non point en s'y soumettant et en l'encourageant, que nous nous instruisons le mieux. Celui qui accepte son épreuve « avec résignation » n'apprend rien ; il ne fait que s'enfoncer dans une erreur plus profonde. S'attarder sur des faits négatifs quels qu'ils soient, c'est se préparer d'autres ennuis. Se détourner du mal pour prendre, au contraire, conscience de Dieu, c'est progresser et se libérer ; c'est aider le monde entier et glorifier Dieu. La Clef d'Or est celle qui donne accès à la liberté.

« Tournez-vous vers moi et vous serez sauvés, vous tous qui êtes aux extrémités de la terre » (1).

---

(1) Esaïe 45 : 22.

LA NON-RESISTANCE

QUAND vous entrez en conflit contre quoi que ce soit, vous provoquez une hostilité qui se retourne contre vous. Plus vous bataillez, plus fort est le choc en retour.

Par contre, ce que vous dédaignez ou mieux encore, ce que vous ignorez, se dissipe peu à peu et meurt d'inanition.

En accordant votre attention à une chose quelconque, vous lui faites prendre corps en votre conscience soit en bien, soit en mal.

Quand vous affrontez une circonstance négative, la manière scientifique de vous comporter vis-à-vis d'elle, consiste à en détourner votre attention en édifiant son opposé dans votre subconscient. Quand vous y êtes arrivé, la situation indésirable s'effondre d'elle-même, comme un fruit trop mûr.

On raconte au sujet de William Penn un fait caractéristique. Il avait été habitué dès son enfance à porter en tout temps une épée. A cette époque, cela faisait partie du costume d'un gentilhomme. Or, un jour, il s'avisa que c'était en contradiction avec ses convictions quakers, mais d'autre part il avait l'impression que sans son épée, il se sentirait embarrassé.

Il alla demander conseil à George Fox, certain que celui-ci lui répondrait : Cessez de porter cette épée, elle est incompatible avec vos idées.

Il n'en fut rien. Après avoir gardé le silence pendant un instant, George Fox lui dit : Gardez-la jusqu'à ce que cela vous soit insupportable.

Un an après, environ, Penn sentit qu'il était plus embarrassé de porter une épée que de n'en point avoir ; il se défit de cette habitude très facilement.

Ne privez pas les autres, ou vous-même, de « béquilles ». Quand vous n'en aurez plus besoin, elle tomberont d'elles-mêmes. Ce qui doit disparaître, c'est le besoin que vous en avez.

Ne luttez pas contre vos rhumatismes ou vos dettes, ou encore un travail qui vous ennuie. N'entrez pas en guerre contre votre langue acérée (si c'est le cas pour vous !) mais édifiez dans votre conscience : santé, prospérité, harmonie, bonne humeur ; dès lors, ce qui est indésirable disparaîtra.

Relisez Philippiens 4 : 8.

UN TRAITEMENT PAR LA BIBLE

LA Bible comporte une multitude de prières et de traitements efficaces. Quelques-uns des chapitres les plus connus sont, en réalité, des traitements ayant pour objet l'inspiration ou la guérison. Ainsi les Psaumes 23, 91 et 27 sont vraiment des exemples tout indiqués. Vous savez probablement tous, ces psaumes par cœur depuis des années ; mais pour vous en servir efficacement, il faut que vous les relisiez attentivement en vous efforçant d'extraire de chaque verset quelque chose de nouveau.

C'est cet élément nouveau qui constitue le traitement et amène souvent une démonstration presque immédiate.

En effet, découvrir de cette manière quelque chose de nouveau, *c'est vraiment développer son état de conscience* et c'est cette expansion qui provoque les résultats.

« Il envoya sa parole et les guérit » (1).

(1) Psaume 107 : 20.

OUI, LA PRIERE PEUT TOUT CHANGER

LA prière, en vérité, peut modifier toute situation. Qu'il n'y ait aucun malentendu à cet égard. *La prière change vraiment toute chose.* On déclare généralement que la prière est bonne en soi parce qu'elle dispense courage et fermeté pour affronter les difficultés. On prétend, de même, que la prière aide souvent les gens à sortir de leurs ennuis, simplement en leur donnant une assurance qui, autrement, leur aurait fait défaut.

Cette opinion ne correspond pas, évidemment, à la Vérité spirituelle.

Le fait est que la Prière Scientifique — qui consiste à voir la Présence de Dieu, partout où semble régner le désordre, ne dispense pas simplement le courage d'affronter les ennuis, mais transforme ceux-ci en conditions harmonieuses.

La prière guérit le corps dont elle transforme les tissus. Elle obtient ce résultat en changeant d'abord l'esprit qui les forme.

La prière apporte le salut à l'homme en *changeant fondamentalement sa nature* et non point en tirant le meilleur parti de lui-même tel qu'il est.

La prière ouvre la voie par laquelle se manifesteront des choses meilleures et nouvelles. Elle ne se contente pas de faire du neuf avec du vieux.

Le corps, le milieu où nous vivons, l'univers même sont modelés par notre pensée. Ils sont toujours le reflet de ce que nous croyons sincèrement.

« Car tel un homme pense dans son cœur, tel il est » (1).

(1) Proverbes 23 : 7.

EMBALLAGE ET CEREALES

CE que vous produisez, voilà ce qui importe, tout le reste lui est subordonné. Si votre travail est excellent, la partie est gagnée virtuellement. Si ce que vous offrez au monde a de la valeur, celui-ci sera tout prêt à l'accueillir et à vous rétribuer généreusement. Si ce que vous offrez à Dieu est digne de *Lui*, Il le recevra et vous en récompensera à l'infini.

Les boîtes de céréales sont en Amérique un des articles les plus courants qu'offrent les magasins d'alimentation ; ils vont servir à illustrer la loi que nous considérons. Une marque renommée possède deux caractéristiques : les céréales sont de première qualité ; d'autre part, elles sont proposées au public dans un carton à la fois commode et attrayant. Remarquez ces deux points et n'oubliez pas que le premier est de beaucoup le plus important, bien que le second ne doive être négligé sous aucun prétexte.

Donc, le produit est excellent. On l'affirme et ce n'est pas une simple prétention.

Deuxièmement, la boîte est commode et séduisante. Si excellent que fût ce produit, si on le présentait dans de grands sacs en papier ou dans un emballage laid et mal adapté, il n'obtiendrait aucun succès. Si, par dessus le marché, la présentation était négligée et comportait des fautes d'orthographe ou de grammaire, l'échec serait inévitable malgré la qualité des céréales.

On offre, du reste, rarement un produit de choix dans un piètre emballage. En général, c'est plutôt l'erreur contraire qui se commet. Trop de commerçants s'imaginent pouvoir faire passer une marchandise médiocre grâce à une présentation séduisante, et c'est pour attirer l'attention du public qu'ils décorent agréablement le contenant tout en négligeant la qualité du contenu.

Ils se figurent que l'art de vendre est plus important que la qualité de la marchandise, et qu'on peut remplacer celle-ci en faisant prendre des vessies pour des lanternes. De même, beaucoup de gens affectent des airs importants, s'adjugent des titres de fantaisie, s'imaginant que cela remplacera des faits d'une valeur réelle.

Quelle illusion pitoyable ! Ces gens-là consacrent toute leur énergie à l'emballage et dédaignent le contenu ; or il n'est jamais arrivé qu'on réussisse pendant longtemps et d'une manière durable en se conduisant de la sorte.

« Tout ce que ta main trouve à faire, fais-le de toutes tes forces » (1).

---

(1) Ecclésiaste 9 : 10.

UN DEBUT SEULEMENT

L'HUMANITE émerge à peine de l'enfance. Un avenir magnifique l'attend. Pour l'instant son âge correspond à celui d'un enfant de douze ou treize ans.

Certains savants supposent que l'homme existe sur la terre depuis un million d'années; c'est probablement bien au-dessous de la vérité. Des civilisations se sont succédées depuis des milliers de siècles ; la plupart sont oubliées et leurs vestiges gisent enfouis sous les océans ou les déserts ou même sous les montagnes. Néanmoins, l'humanité n'en est encore qu'à l'enfance.

Les époques les plus grandes, les œuvres les plus extraordinaires sont encore à venir. La musique surpassera en beauté les chefs-d'œuvre que nous admirons, ceux de Beethoven, de Mozart, de Bach, de même que ceux-ci laissent derrière eux le battement du tam-tam primitif. La littérature sera telle que tout ce qu'a écrit Shakespeare et les écrivains de tous les temps n'aura pas plus d'intérêt que des historiettes destinées aux enfants. L'Art grec qui n'a jamais été égalé sera dépassé grâce à une inspiration spirituelle nouvelle.

Les réalisations les plus sensationnelles des ingénieurs, les ponts, les barrages, les avions les plus rapides, les machines électroniques, ne sont que des jouets comparés à ce que l'homme construira alors.

Enfin, et c'est ce qui est le plus important, la connaissance des vérités spirituelles s'accroîtra dans la même mesure et les grands esprits religieux des âges révolus feront figure de pygmées en comparaison des chefs spirituels d'alors.

Tournez vos regards vers le futur. Le meilleur est encore à venir.

« Noues-tu les liens des Pléiades,
Ou détaches-tu les cordages de l'Orion ? » (1).

---

(1) Job 38 : 3.

LE TAPIS PERSAN

CEUX que leurs difficultés ou les apparentes incohérences de la vie rendent perplexes doivent se souvenir que, pour l'instant, nous n'avons qu'une vue limitée des choses, or une vue limitée de quoique ce soit ne peut vous en donner une idée exacte.

Si vous présentiez à un Esquimau l'image d'un cheval en pièces détachées, sans jamais lui en montrer l'ensemble, il ne pourrait se faire une idée juste de cet animal.

La comparaison bien connue du tapis persan est excellente. Si vous ne considérez que l'envers du tapis, vous ne verrez qu'un mélange confus de lignes et de couleurs, ne comportant ni beauté ni logique, et cela parce que vous n'en comprenez pas la signification. Mais retournez le tapis. Vu du bon côté, vous en saisirez le dessin et constaterez que les fils embrouillés que vous avez vus d'abord constituent un ensemble harmonieux et ordonné.

Il en va de même pour la vie. Un jour viendra (quand nous aurons atteint un développement spirituel suffisant) où nous nous apercevrons que les fils différents qui constituent la trame de notre vie, les accidents apparents, les événements incohérents, font en réalité partie d'un dessein magnifique et logique — ils sont la chaîne et la trame d'une étoffe splendide que nous tissons, avec persévérance, pour Dieu.

« Ne jugez point selon l'apparence mais jugez selon la justice » (1).

(1) Jean 7 : 24.

LE COURS SUPERIEUR

BEAUCOUP voudraient suivre ce qu'ils appellent un Cours supérieur de métaphysique et cette idée mérite que nous l'examinions brièvement. Qu'est-ce qu'un cours supérieur comprendrait de plus que les leçons ordinaires ?

Le Cours habituel de métaphysique enseigne que Dieu est la seule puissance ; que le mal n'a pas de réalité ; que nous édifions notre sort par nos pensées et nos convictions ; que rien n'est grave quand nous prions ; que le temps, l'espace et la matière ne sont que des illusions humaines ; que tout problème comporte une solution ; que l'homme est l'enfant de Dieu et Dieu le Bien absolu ; que Jésus-Christ est Celui qui a enseigné toute la Vérité sur Dieu et l'a démontrée effectivement.

Dès que l'élève a acquis une compréhension intellectuelle exacte de ces faits et les a assimilés — tout au moins en partie — il ne lui reste plus qu'à développer sa compréhension en en faisant la preuve d'une manière pratique.

Par conséquent, le *cours supérieur est celui que nous nous donnons à nous-mêmes,* en démontrant dans notre vie quotidienne, sous forme de santé, d'harmonie, de liberté, les vérités que nous avons apprises. Nous devons tous, à l'instant même, faire partie de ce Cours supérieur, en mettant en pratique régulièrement et constamment la Parole de Dieu.

« La foi sans les œuvres est morte » (1).

---

(1) Jacques 2 : 20.

NE LUTTEZ PAS

EN priant — en « traitant » — selon l'expression consacrée — comme presque toujours, moins nous faisons d'efforts mieux cela vaut. Le fait est que l'effort se détruit de lui-même. Priez tranquillement, paisiblement, sans vous crisper.

Quand on apprend à nager, on commence par battre violemment l'eau des mains et des pieds pour tâcher de ne pas couler. Or, c'est une grande erreur. On se fatigue inutilement, sans avancer d'une brasse.

Plus tard, quand un moniteur compétent vous a appris à nager, grâce à des mouvements aisés, sans agitation inutile, on atteint sans peine l'autre bout de la piscine. Ensuite, ce n'est qu'une question de temps et d'entraînement pour devenir un bon nageur.

Il en est de même en ce qui concerne « le traitement ». Tournez-vous vers Dieu, tranquillement, avec confiance, avec foi ; affirmez qu'Il vous fraie la route de la meilleure manière possible, ou qu'Il résout votre problème particulier. Que votre prière soit une visite faite à Dieu, sans vous hâter. Souvenez-vous qu'Il prend soin de vous, que rien ne Lui est impossible ; puis rendez grâce, et attendez les résultats.

« Car quiconque invoquera le nom du Seigneur sera sauvé » (1).

---

(1) Romains 10 : 13.

LES SEPT REGLES DE LA PRIERE

PRIER, c'est puiser dans la Maison du Trésor et de la Puissance.

La prière quotidienne, quand elle est une habitude, devient une ligne de conduite inflexible.

La plus efficace des prières est la visite désintéressée que vous faites à Dieu.

Quand la prière vous semble un fardeau ou même un devoir, il est temps de vous arrêter.

Si vous avez des soucis, si votre esprit en est submergé, puisez au hasard dans la Bible ou dans votre livre spirituel préféré.

Ecoutez Dieu. Ne Lui parlez pas continuellement. « Arrêtez-vous et sachez que je suis Dieu ».

Priez avec sérénité. N'essayez pas de faire pression sur Dieu. Autant que possible, débarrassez-vous de toute impression d'urgence, votre démonstration n'en sera que plus rapide.

LE ROI HERODE

LES récits de la Bible sont des paraboles, tout en ayant naturellement une valeur historique. Considérons, par exemple, l'histoire du roi Hérode. Il craignait qu'un rival ne surgît en son royaume et ne lui ravît son trône. Comprenant qu'il serait trop tard de le combattre quand, devenu adulte, il se serait emparé du trône, il résolut de tuer tous ses rivaux possibles pendant qu'ils n'étaient que de petits enfants.

Le Massacre des Innocents est un épisode affreux, mais si nous en prenons le contre-pied et le comprenons comme il se doit, nous en tirerons une leçon remarquable. En effet, il nous montre comment nous devons nous comporter à l'égard de nos pensées négatives.

Quand l'une de celles-ci — appréhension, doute, irritation, critique — vous vient à l'esprit, *occupez-vous-en sur le champ.* Décapitez-la sans attendre. Ne la laissez pas grandir et se fortifier pour faire échec à votre autorité et vous vaincre, peut-être pendant un certain temps. Détruisez-la au berceau.

Vous imiterez de la sorte le roi Hérode, mais

pour glorifier Dieu et en faisant preuve d'une haute sagesse.

Quand surgit une pensée négative, les premières secondes sont précieuses. N'accordez pas une minute de grâce au mal pour lui permettre de se développer dans votre pensée, mais tranchez-lui la tête dès le début afin que votre souveraineté ne soit pas menacée.

Ne tergiversez pas avec l'erreur — décapitez-la sans hésiter.

PLONGEZ VOTRE SEAU

NOUS vivons en la présence de Dieu. La Bible déclare : « En Lui nous avons la vie, le mouvement et l'être ». On peut entrer en contact à tout moment avec cette Puissance infinie qui est Intelligence et Amour — Dieu — en se tournant vers Lui en pensée et en Lui permettant de remplir notre cœur. Dès que nous le faisons, Son influence se fait sentir dans notre vie, sous forme de paix, d'harmonie, de liberté.

L'homme gaspille sa vie à poursuivre des buts extérieurs alors que son salut serait de découvrir ce qui est *en lui.*

Trop souvent, nous considérons notre salut comme étant plus ou moins éloigné de nous, alors qu'il est ici même où nous sommes, et nulle part ailleurs.

Cette vieille histoire vaut la peine d'être rappelée. Un canot plein de naufragés allait à la dérive dans l'Atlantique. L'eau potable manquait et les pauvres gens souffraient atrocement de la soif. Un autre canot surgit à portée de la voix et quand les naufragés crièrent pour demander de l'eau, on leur répondit : « Lancez votre seau par dessus bord ».

Ces mots paraissaient d'une cruelle ironie;

mais comme on leur répétait ce conseil avec insistance, les marins plongèrent leur seau dans la mer. Ils le retirèrent plein d'une eau pure, fraîche et limpide !

Depuis plusieurs jours, ils naviguaient en eau douce, sans s'en douter. Ils étaient loin encore de la terre ferme, mais ils avaient été poussés dans l'estuaire de l'Amazone dont les eaux pendant des kilomètres ne se mêlent pas à celles de l'océan.

Rappelons-nous cette histoire, elle en vaut la peine. Elle est l'exemple frappant de ce qui arrive à de nombreuses personnes qui cherchent en vain le bien dont justement elles sont entourées, sans qu'elles s'en doutent.

« Il est plus proche que ton souffle, plus proche que tes mains et tes pieds » (Tennyson).

DECHARGEZ CE CHAMEAU

JESUS a dit qu'il était plus facile à un chameau de passer par le chas d'une aiguille qu'à un riche d'entrer dans le royaume des Cieux. (Matthieu 19 : 24. Marc 10 : 15. Luc 18 : 25).

Ceux qui saisissent le sens spirituel de cette idée savent que Jésus ne se préoccupait nullement de l'importance des biens terrestres qu'un homme possédait ou non. Ce qui l'intéressait, par contre, c'était l'attitude mentale qu'un homme assumait à leur égard et vis-à-vis de la vie en général.

Si vous vous fiez à n'importe quoi, sauf au sentiment de la présence de Dieu, vous êtes un insensé au sens biblique de ce terme. Si vous comptez sur votre argent, votre situation dans le monde, vos amis, votre science humaine ou votre intelligence, vous êtes un insensé, parce que tout cela vous trahira, tôt ou tard.

Savoir, richesse, amis, situation, ont de la valeur jusqu'à un certain point, tant que vous sentez que vous les possédez et que ce n'est pas eux qui vous possèdent ; mais si vous désirez acquérir le Royaume de Dieu, il faut que vous soyez préparé à n'avoir plus foi en eux, mais avoir foi en ce qui en est digne.

La comparaison dont Jésus s'est servi était une image pittoresque destinée à frapper ses auditeurs. A cette époque, toute bourgade importante était entourée de fortifications dont les murailles étaient percées de grandes portes que l'on fermait au coucher du soleil et qui, pendant la nuit, étaient gardées par des hommes d'armes pour prévenir toute attaque brusquée. Cependant la grande porte était percée d'une ouverture beaucoup plus petite et plus basse par laquelle les piétons inoffensifs pouvaient aller et venir à n'importe quelle heure. On l'appelait le Chas de l'Aiguille. Quand un chameau chargé de marchandises arrivait au crépuscule, il ne pouvait franchir cette porte étroite que si on le déchargeait complètement.

Déchargez votre chameau si vous voulez entrer dans le Royaume des Cieux. Cela ne veut pas dire, bien entendu, que vous deviez vous débarrasser littéralement de tout ce que vous possédez et des circonstances actuelles, mais qu'il faut vous libérer du sentiment de dépendance que vous éprouvez à leur égard.

Bien souvent, on se trouve si heureux d'avoir déposé le fardeau de tant de « marchandises » qu'on désire ne plus jamais s'en encombrer.

« Cherchez d'abord le royaume de Dieu » (1).

(1) Matthieu 6 : 33.

NOTRE FRERE AINE

JESUS-CHRIST nous était infiniment supérieur au point de vue du développement spirituel, mais sa *nature* était semblable à la nôtre. Il a été un être humain « tenté comme nous en toutes choses » (1). C'est notre frère aîné, venu ici-bas pour nous montrer le chemin. Il a démontré la Vérité de telle sorte que nous puissions le faire à notre tour. Mais il a été un humain comme nous.

C'est ce fait qui lui donne toute sa signification et toute son importance. S'il avait été un dieu, sans aucun rapport avec le genre humain, sa vie et son œuvre n'auraient eu pour nous aucun intérêt. Qu'un dieu ait agi d'une manière extraordinaire ne me surprendrait pas et ne pourrait avoir aucune influence sur ma vie. Cependant, si j'apprends qu'un être humain a été capable d'accomplir des œuvres aussi magnifiques, en ne cessant d'affirmer que cela m'était possible aussi, à condition de suivre la même voie que lui et d'en payer le prix, je suis vivement intéressé et encouragé et tout prêt à suivre la trace de ses pas.

Nous ne disons pas que Jésus n'était pas Dieu. Au contraire, nous affirmons qu'Il était

Dieu, mais que vous et moi nous le sommes aussi. Nous sommes des étincelles divines et par conséquent des dieux en germe. Si indignes, si faibles que nous nous sentions aujourd'hui, nous savons qu'avec de la compréhension et de la persévérance, avec de la foi et de la fidélité — si long que cela soit — notre développement ultime n'est qu'une question de temps.

Certains groupements religieux enseignent que Dieu est Dieu et que Jésus n'a été que le plus parfait des hommes, creusant de la sorte un gouffre entre eux, mais ce gouffre nous ne l'acceptons pas. Nous affirmons que fondamentalement, étant donné notre vraie nature, nous ne sommes qu'un avec Dieu.

« J'ai dit vous êtes des dieux » (2).

---

(1) Hébreux 4 : 15.
(2) Jean 10 : 34.

LA GUERISON SPIRITUELLE

AVOIR conscience de la Présence de Dieu suffit à guérir le corps et à résoudre toute difficulté. La plupart des gens ne s'en rendent pas compte et pourtant c'est vrai.

Si vous pouvez *prendre conscience* de cette Présence au lieu de penser comme vous le faisiez à la maladie d'un organe, par exemple, celui-ci recouvrerait la santé. Peu importe que vous opériez pour vous-même ou pour une personne étrangère, si éloignée que soit celle-ci, la loi est immuable. En pratique, du reste, on trouve le plus souvent qu'il est plus facile de guérir les autres que soi-même, mais il n'y a aucune raison pour qu'il en soit ainsi, et il faut s'exercer à vaincre cette infériorité.

Il est essentiel de comprendre clairement que la *conscience de la présence de Dieu* ne prépare pas simplement les conditions de la guérison — elle l'opère directement.

Cette conscience que l'on a de Dieu est plus ou moins développée selon les individus. Quand elle est suffisante, la guérison s'opère sur le champ, sinon la réalisation demandera plus de temps.

Il est assez rare, cependant, que la conscience de la présence de Dieu soit assez développée pour qu'un seul traitement suffise. Le plus souvent, on doit recommencer un certain nombre de fois, jour après jour, tant que cela est nécessaire. L'état du malade s'améliore, alors, progressivement jusqu'à la guérison complète. Cette méthode n'est pas la seule qui soit efficace, mais c'est certainement la plus élevée spirituellement. A mesure que nous faisons des progrès dans la connaissance de la Vérité, nous constatons que les réalisations s'opèrent de plus en plus facilement.

Ce genre de traitement peut ne demander que quelques secondes ou exiger beaucoup de temps selon le tempérament du praticien spirituel et les conditions particulières auxquelles il a affaire. En tout cas, ce qui compte, ce n'est pas la durée du traitement, mais le degré de conscience auquel on est parvenu.

TELLE EST LA VIE

VOUS adoptez, vous édifiez certaines croyances — pour une raison ou pour une autre — puis il faut que vous viviez en leur compagnie.

Pendant votre jeunesse, des personnes bien intentionnées, sous prétexte de vous mettre en garde, vous ont tenu des propos négatifs, implantant, de la sorte, en vous des craintes qui font maintenant partie de vous-même, consciemment ou inconsciemment.

Il est des problèmes, par contre, que vous avez apporté avec vous en naissant.

Vos craintes se concrétisent infailliblement. Ce que vous appréhendez en votre cœur ne manque pas de se manifester par l'intermédiaire de ceux qui vous entourent, par l'état particulier de vos affaires, par quelques symptômes fâcheux dans votre corps, etc...

Dieu merci, il n'est pas nécessaire en général de fouiller les replis secrets du subconscient pour découvrir et exhumer ces craintes.

Cette méthode est fort en faveur auprès de certains psychiâtres modernes. L'enseignement spirituel, tel qu'il est donné dans la Bible, nous apprend qu'en guérissant spirituellement les symptômes — non point en les masquant mais en les *guérissant* effectivement — la peur, les idées fausses qui les causaient disparaissent complètement, et le malade est délivré.

Priez chaque jour pour acquérir la paix de l'esprit, la sagesse et la compréhension de Dieu. Si quelque inharmonie surgit dans votre vie, traitez-la par une réalisation spirituelle.

Plus souvent vous rendrez visite à Dieu — quand ce ne serait que quelques secondes à la fois — plus vous aurez de bonheur dans la vie.

« Attache-toi donc à Dieu et tu auras la paix » (1).

---

(1) Job 22 : 21.

LA GRANDE ALLIANCE DE LA BIBLE

UNE alliance est un contrat. Quand deux peuples signent une alliance, cela implique que l'une des parties fera telle ou telle chose à condition que l'autre partie exécutera ce qui lui est dévolu. C'est un arrangement de gré à gré.

Dans la Bible, il est souvent question d'une certaine alliance — ce mot y revient deux cents fois — or il est de la plus grande importance que nous comprenions en quoi consiste cette alliance.

L'alliance dont parle la Bible est un contrat qui existe entre Dieu et tout être humain. Dieu y affirme que vous pouvez avoir la santé, la liberté, le bonheur, la vraie richesse, la paix parfaite, que votre développement spirituel peut être constant *à condition* que vous preniez l'habitude de n'entretenir que des pensées harmonieuses et de n'avoir foi qu'en la loi du bien.

Si, *en toutes circonstances*, vous n'avez que des pensées bienveillantes, optimistes et constructives, si vous ne prononcez que des paroles positives et secourables, si vos actions sont constructives et bonnes, vous remplissez la part qui vous incombe dans la Grande Alliance et, dès lors, Dieu ne manquera jamais d'accomplir la Sienne.

Il va sans dire que la convention, l'Alliance dont on parle comme d'un document légal, est une figure de rhétorique qui permet à la Bible d'expliquer la Grande Loi psychologique et métaphysique de la vie.

« Vous observerez donc les paroles de cette alliance et vous les mettrez en pratique afin de réussir dans tout ce que vous ferez » (1).

---

(1) Deutéronome 29 : 9.

S'ALIMENTER OU MOURIR DE FAIM

ON dit que toutes les créatures vivantes sont à la poursuite de leur nourriture et c'est incontestablement vrai. La vie animale est rare et même complètement absente dans les régions dépourvues de toute nourriture. D'autre part, la vie fourmille sous toutes ses formes partout où les aliments sont abondants. La ménagère négligente attire les rats et les souris, sans compter une multitude d'insectes, en laissant traîner des restes dans les armoires.

Evénements et circonstances sont aussi des entités vivantes qui cherchent leur nourriture et la suivent à la trace. *Ce qui alimente les événements, ce sont les pensées.* Vos pensées habituelles servent d'aliments aux circonstances de votre vie et les font croître et se multiplier.

Les pensées de peur, celles qui sont empreintes de critique, de tristesse, d'égoïsme, alimentent malheur, maladie et échec. Quand vous fournissez abondamment ce genre de nourriture, tous ces états fâcheux se manifestent dans votre vie, puisqu'ils trouvent à s'alimenter.

Par contre, les pensées sur Dieu, celles qui

sont bienveillantes, optimistes, pleines de bonne volonté, sont des mets qui conviennent à la santé, à la joie, à la réussite ; et plus vous offrirez généreusement ces aliments, plus vous attirerez à vous tout ce qui est favorable.

Désirez-vous vous débarrasser d'une circonstance quelconque ? *Faites-la mourir de faim* en lui refusant la nourriture nécessaire à son développement, et vous serez surpris de voir avec quelle rapidité elle disparaîtra. Elle s'enfuira précipitamment ailleurs pour y trouver à s'alimenter.

« Je suis le pain de vie » (1).

---

(1) Jean 6 : 35.

DONNEZ-MOI UNE AFFIRMATION

CERTAINES personnes me demandent parfois de leur indiquer une affirmation, s'imaginant sans doute que la répétition d'une phrase magique les aidera à résoudre leur problème — mais rien n'est plus éloigné de la vérité.

C'est en vous-même que réside votre problème, suscité par une conviction ou des pensées erronées. Il n'y a qu'un moyen de vous en débarrasser, c'est de changer vos idées ou votre manière de penser.

Partout où règne l'inharmonie, la peur est toujours présente, et ce n'est pas une affirmation qui la dissipera. Vous devez refuser de vous laisser intimider par un danger apparent quel qu'il soit, et mettre toute votre confiance en l'amour de Dieu. Alors, seulement, la crainte commencera à disparaître.

Quand vous avez besoin d'être dirigé pour prendre une décision importante, vous n'avez qu'à penser et à croire que Dieu vous guide ; dès lors, une direction vous sera donnée.

L'affirmation souvent joue le rôle *d'aide mémoire.* Elle vous rappelle ce à quoi vous devez croire. Mais c'est le changement de votre façon de penser, le fait d'abandonner votre erreur pour vous attacher à la Vérité qui suscite votre démonstration, ce n'est pas du tout la répétition d'une certaine phrase.

« Quand vous priez, n'usez pas de vaines redites comme les païens » (1).

(1) Matthieu 6 : 7.

COMPRENDRE, TOUT EST LA

Il y a une grande différence entre ce que vous croyez vraiment, ce que vous pensez qu'il faut que vous croyiez et ce que vous désirez croire.

Vous démontrez dans votre vie ce à quoi vous croyez réellement. Les idées auxquelles vous ne tenez guère, ne se concrétisent pas. S'il arrive qu'un jour vous ayez foi en elles, vous en ferez alors la démonstration, c'est-à-dire qu'elles produiront leur effet dans votre vie, mais pas avant.

Cela ne vous sera pas très utile de dire que telle ou telle chose ne vous nuira pas, si vous ne le savez qu'intellectuellement. Mais si *vous prenez conscience*, même légèrement, qu'elle ne peut vous faire du mal, ce sera tout différent ; il ne suffit pas du tout de le répéter sans conviction.

Ne vous bornez pas à dire que tout ira bien; croyez-le. Il ne suffit pas que vous répétiez que Dieu prendra soin de vous si vous n'en prenez pas conscience, si vous ne croyez pas ce que vous dites, même dans une faible mesure.

Le traitement spirituel a pour seul objet d'augmenter la conscience de cette Vérité que déjà vous avez acceptée : Dieu peut et veut vous protéger de tout mal, et la peur et l'erreur n'ont aucun pouvoir sur vous quand vous ne leur en accordez pas.

« Rien ne pourra vous nuire » (1).

(1) Luc 10 : 19.

REALISATIONS

BEAUCOUP disent, fréquemment, que dès qu'ils ont commencé à connaître la vérité métaphysique, il leur a semblé que des miracles se produisaient presque journellement dans leur vie. Des circonstances négatives qui duraient depuis fort longtemps avaient disparu après un traitement très court. Puis, ajoutent-ils, on dirait qu'une sorte de torpeur les a envahis et ils n'ont plus jamais été capables d'obtenir d'aussi bons résultats.

Pourquoi en est-il ainsi ? Parce que la démonstration est causée par une *expansion* de la conscience.

Quand l'état de conscience s'élève et se développe, les circonstances s'améliorent infailliblement. Au début, quand on commence à se rendre compte de l'omniprésence de Dieu, de l'irréalité du mal, on est l'objet d'un tel épanouissement qu'on obtient des démonstrations remarquables.

Puis on a tendance à s'en tenir à ces premières connaissances et à l'état de conscience acquis.

C'est commettre une erreur. En effet, ce qui

compte, c'est l'expérience de chaque jour, non point celle d'hier ou de l'année dernière.

Si vous désirez obtenir une démonstration, aujourd'hui, vous devez d'une manière ou d'une autre, développer et élever votre état de conscience comme vous l'avez fait au début de vos études métaphysiques. Il faut que vous appreniez encore à connaître Dieu, ce qui, du reste, est le but réel de la prière, c'est-à-dire du traitement.

« Dieu n'est pas le Dieu des morts, mais des vivants » (1).

(1) Matthieu 22 : 32.

LA CLEF DE LA BIBLE

LA Bible traite des états d'esprit et de leurs conséquences (1).

Tous les personnages de la Bible représentent un état d'esprit particulier et les événements importants qu'elle relate décrivent les résultats causés par certains de ces états d'esprit.

Leur foi et leur compréhension spirituelle firent sortir Moïse d'Egypte (2) et Pierre de prison (3) ; or quiconque est dans des dispositions semblables est libéré de même, qu'il s'agisse d'une prison nommée péché, peur, doute ou toute autre lacune humaine.

Tout texte de la Bible peut se lire au présent au passé ou au futur, car Dieu est au-delà des temps.

Les héros qu'elle évoque sont dépeints d'abord avec leurs nombreux défauts, mais peu à peu, ils triomphent de ceux-ci grâce à la prière. C'est pour nous un grand encouragement.

La Bible enseigne que les circonstances et les événements extérieurs n'ont par eux-mêmes aucune importance. Ils n'en ont que dans la mesure où, nécessairement, ils expriment le caractère, c'est-à-dire l'état de conscience des personnage en question.

La Bible est d'un optimisme infini, mais nullement béat. Elle déclare : « Tu assures une paix parfaite à celui qui se repose en toi » (4). Mais elle enseigne aussi que les pensées et les opinions négatives, surtout celles qui assignent une limite à la puissance de Dieu, peuvent entraîner une multitude de désordres et de souffrances.

La Bible apprend *qu'une prière faite aujourd'hui peut rétablir l'harmonie en toute circonstance,* à condition, toutefois, de ne pas se tourner vers ce qui s'est passé hier. Souvenez-vous de la femme de Loth. N'attendez pas pour lire votre Bible « d'avoir le temps de le faire à fond ». Mettez-vous-y aujourd'hui même ; lisez-la un peu chaque jour ne serait-ce que quelques versets.

---

(1) Exode 14 : 21.
(2) Actes 12 : 7.
(3) Esaïe 26 : 3.
(4) Psaume 78 : 41.

DIEU NE CHANGE PAS

DIEU est perfection infinie ; nos idées limitées concernant le temps, l'espace et la matière ne Le touchent donc pas. Il est le Très Haut et le Tout Puissant ; l'éternité est Son domaine et Son nom le Très Saint (1) (le Parfait).

Dieu ne peut ni Se réformer ni Se perfectionner. Ce qui se développe c'est la compréhension que nous avons de Lui ; les conditions de notre vie s'améliorent infailliblement, en fonction des progrès que nous faisons à cet égard.

Il n'y a jamais eu dans notre existence un moment où Dieu a été différent de ce qu'Il est aujourd'hui ; de même que Dieu ne pourra jamais être plus qu'Il n'est à présent.

Tout ce dont vous avez besoin fait partie de l'expression divine vous concernant *en cet instant*. En réalité, ce que vous nommez désir ou besoin, n'est que l'impression confuse de la présence de la chose elle-même.

L'Esprit divin ne comporte aucune lacune. Ce qui vous manque provient de votre impuissance à prendre conscience de la Présence de Dieu, à ce sujet.

Les délais sont inexistants pour le Très Saint

qui est éternel. Vous êtes Son expression et ce que vous appelez retard est dû à votre incapacité de prendre conscience du bien toujours présent.

Dieu ne cesse de S'exprimer par des moyens nouveaux. Ceux-ci ne constituent pas un progrès, mais une évolution. Votre vie y participe et c'est l'unique raison pour laquelle vous existez.

Vous êtes, maintenant même, une expression vivante de Dieu ; comprendre cela, voilà le salut.

---

(1) Esaïe : 57 : 15.

AU MOMENT DU DANGER

QUAND nous sommes en danger, la plus efficace des prières ou traitement, c'est de prendre tranquillement conscience de la puissance protectrice de l'amour de Dieu.

Malgré nos prières, la situation paraît quelquefois empirer, mais c'est alors, justement, qu'il faut demeurer fidèle à la Vérité. Si nous ne pouvons demeurer fermes en présence des apparences négatives, quelle valeur a notre foi en Dieu ? Mais si, en dépit des difficultés, nous restons ancrés dans la Vérité, nous nous trouverons bientôt hors de danger.

Beaucoup ont suffisamment de foi pour faire appel à Dieu et se confier en Lui pendant un certain temps, mais si la réponse n'est pas immédiate, leur foi s'effondre et leur démonstration ne s'effectue pas. Pierre tentant de marcher sur les eaux (1) en est l'exemple frappant.

Toute prière, toute citation, vous aidant à prendre conscience de l'amour et de la présence de Dieu, est une protection contre le danger. Le Psaume 91, en particulier, devrait être étudié constamment par ceux qui sont exposés à des périls et par ceux qui ont des êtres chers en danger. Le fait que vous savez probablement ce psaume par cœur, depuis votre enfance, importe peu. Efforcez-vous de découvrir quelque chose de nouveau en chaque verset, toutes les fois que vous le lisez ou le méditez.

« Quiconque évoquera le nom du Seigneur sera sauvé » (2).

---

(1) Mat. 14 : 29, 31.
(2) Romains 10 : 13.

TRAITEMENT TROP FREQUENT

COMBIEN de fois faut-il traiter le problème qui nous préoccupe ? Un seul traitement suffit-il ? Quelle doit être la durée d'un traitement ?

Ces questions se posent constamment et sont d'une importance capitale. En somme, l'efficacité de notre prière dépend dans une grande mesure de la réponse que notre esprit lui a donnée.

On ne peut établir de règles universelles au sujet du traitement. Il faut prendre en considération le problème, les conditions environnantes, et l'intéressé. Une même personne sera appelée à travailler différemment, selon le moment. Les indications suivantes, cependant, seront d'une utilité générale.

Un seul traitement est à peine suffisant, surtout s'il s'agit de quelque chose qui vous préoccupe beaucoup.

La durée exacte d'un traitement dépend du tempérament de l'intéressé et de son état d'esprit au moment même. La méthode préconisée consiste à traiter jusqu'à ce que l'on se sente satisfait ou qu'on ait l'impression de ne pouvoir faire davantage pour l'instant. Quand vous vous arrêtez, ne pensez pas : « Cela ira pour l'instant ; j'y reviendrai plus tard ». Cela infirmerait votre traitement, mais attendez-vous à ce qu'il réussisse.

Vous pouvez recommencer à traiter dès que vous êtes dégagé du traitement précédent, pas avant. Vous êtes dégagé lorsque ce qui vous préoccupe vous est sorti de l'esprit pendant un certain temps — une demi-heure au moins. Par exemple, si vous avez prié vers 10 heures dans un but précis et qu'ensuite votre conscient ait été libéré complètement parce que vous avez été absorbé par d'autres sujets pendant deux heures ou une demi-heure, au moins, vous pouvez revenir à ce qui vous préoccupe et reprendre votre traitement et ainsi de suite.

Certaines personnes préfèrent traiter leurs problèmes une fois par jour, ou soir et matin. Ce qui est important surtout, c'est de ne pas y revenir à tout moment au cours de la journée ; votre réalisation en serait retardée indéfiniment. La légèreté de touche est le principal secret du succès.

Souvenez-vous toujours que c'est Dieu Lui-même *qui prie par votre intermédiaire.*

« Il envoie sa parole et il les guérit » (1).

---

(1) Psaume 107 : 20.

TRAVERSER LE PONT

QUAND vous priez, c'est-à-dire que vous appliquez un traitement spirituel, pour trouver *la place que vous devez occuper légitimement,* il est bon de vous rappeler que la démonstration risque fort de ne pas se produire d'un seul coup, mais qu'elle s'effectuera probablement par étapes successives. Celles-ci doivent être considérées pour ce qu'elles sont en réalité — une suite de paliers vous permettant d'accéder à une démonstration complète.

Que vous désiriez une occupation qui vous convienne, un foyer idéal ou la réalisation de n'importe quelle autre aspiration personnelle, vous n'arriverez à vos fins que petit à petit.

Cependant, si vous méprisez ces étapes intermédiaires et pensez : « C'est une amélioration, mais ce n'est pas vraiment ce que je voulais », vous retardez votre démonstration. Vous ne devez pas non plus accepter un léger progrès, convaincu que vous ne pouvez espérer plus. L'attitude scientifique consiste à considérer votre marchepied comme tel — bénissez-le, rendez grâce et priez pour celui qui se manifestera ensuite.

Si vous étiez à Brooklyn et que vous vouliez

vous rendre à Manhattan, il faudrait que vous traversiez le pont de Brooklyn. Vous seriez reconnaissant de vous trouver sur ce pont puisque cela prouverait que vous vous dirigez vers votre but. Vous ne diriez pas : « Ce n'est pas là que je voudrais être, mais à Manhattan », ni « Cela me suffit ! Je n'ai rien de mieux à faire que de m'installer sur ce pont définitivement ». Le temps consacré à la traversée du pont vous semblerait fort bien employé puisqu'il vous rapprocherait de votre destination. *Toute amélioration, même insignifiante, constitue une partie du pont reliant l'étape d'aujourd'hui au désir qui vous tient à cœur.*

« Votre force sera de vous tenir en repos et en confiance » (1).

(1) Esaïe 30 : 15.

EXPERTISE

IL existe des experts professionnels dans différents domaines. L'expert auquel vous avez recours, vient vous voir, inventorie la marchandise, l'examine et en estime la valeur. Il est intéressant de constater que cette évaluation est fondée et correspond au taux du marché.

Nous nous en rendons rarement compte, mais nous procédons de même, toutes les fois que nous devons affronter un problème nouveau. Nous l'examinons rapidement, en considérons l'importance, mais, en général, nous surestimons celle-ci. *Nos craintes* font une montagne des ennuis les plus insignifiants.

Or, pour *vous,* l'importance de toute difficulté, de tout problème est celle que *vous* lui donnez. Ce que vous estimez être *réellement* un ennui capital est pour vous un ennui capital, de même que le fait de considérer *réellement* une difficulté comme minime, la rend insignifiante. Il est évident aussi que plus vous surestimez la gravité de ce qui vous préoccupe, plus vous diminuez l'importance de la puissance de Dieu.

Nous savons que pour le sage, seule cette parole est vraie : « Qu'il soit fait selon votre foi » (1).

(1) Matthieu 9 : 29.

LA PRIERE EFFICACE

LA prière efficace est simple, directe et spontanée. Jésus a dit que l'on doit s'approcher de Dieu comme de petits enfants qui viennent à leurs parents.

Les prières courtes valent presque toujours mieux que les prières longues.

Priez, ne fût-ce que quelques instants, plusieurs fois dans la journée.

Souvenez-vous que prier c'est penser à Dieu. Si vous pensez à vous-même, à quelqu'un d'autre ou à vos ennuis, vous ne priez pas à ce moment-là.

Si votre développement spirituel est ce qui vous intéresse essentiellement, et si les circonstances extérieures n'ont pour vous qu'une importance secondaire, celles-ci s'amélioreront beaucoup plus vite que si vous leur donnez la première place et ne vous intéressez qu'accessoirement à votre progrès spirituel.

La paix de l'esprit, un corps sain, un milieu harmonieux sont d'une importance capitale parce qu'ils sont la preuve de notre compréhension spirituelle.

Souvenez-vous que la grande génératrice de forces spirituelles est la Bible.

DES MOTS ! DES MOTS ! DES MOTS !

QUAND on se sert d'un certain terme pour parler de Dieu, il doit avoir essentiellement la même signification que si on l'employait pour l'homme, autrement il n'a aucun sens.

Quand on dit que Dieu est *Amour* ou *Intelligence,* ou qu'Il est *juste,* ces mots doivent avoir réellement la même signification que lorsqu'on les applique aux êtres humains — autrement ce sont des termes nouveaux et particuliers qui sont incompréhensibles.

L'amour de Dieu doit être essentiellement du même ordre que ce que nous savons par exemple de l'amour d'une mère pour son enfant ou de l'amour de l'artiste pour ce qu'il a créé. Il doit être de même nature — mais purifié, infiniment plus vaste, évidemment — tout en ayant le même caractère, sinon ce terme ne veut rien dire.

Quand nous déclarons que Dieu est juste, ce doit avoir pour nous le même sens que lorsque nous disons que tel ou tel magistrat ou tout autre personnage important agit avec justice. La justice de Dieu est universelle et parfaite, mais elle est, en substance, de même nature.

Beaucoup affirment que Dieu est *Amour* et

maintiennent, en même temps, qu'Il punit le péché momentané d'un châtiment éternel. Ils proclament que Dieu est *juste* et prétendent que les hommes qui vivent actuellement souffrent de diverses infériorités dues à un péché qu'Adam est censé avoir commis des millions d'années avant leur naissance. On trouve encore certaines personnes qui croient que tout être humain est prédestiné à aller soit au ciel, soit en enfer et cela avant même d'avoir été créé, et sans que sa conduite, bonne ou mauvaise sur terre, puisse modifier son sort. Or, ces gens-là soutiennent, d'autre part, que Dieu est juste. En l'occurrence, il est évident que tous ces termes n'ont aucun sens.

Si les attributs de Dieu sont censés signifier autre chose que ce qu'on entend généralement par les mots qui les désignent, nous ne pouvons les comprendre. Vous pourriez tout aussi bien proclamer : « Dieu est x + y ; mais j'ignore ce que ces symboles veulent dire ».

La vérité, c'est qu'en effet Dieu *est* Amour et Intelligence et qu'Il agit envers tous, en tout temps, avec une sagesse parfaite, une justice parfaite, au sens ordinaire et correct de ces mots.

« Dieu est lumière et il n'y a point en lui de ténèbres » (1).

---

(1) I Jean 1 : 5.

SEPT PRIERES EFFICACES

P*SAUME vingt-trois*. Ayez recours à ce chapitre quand vous avez besoin de quelque chose d'important. Vous le savez probablement par cœur, mais *lisez-le* afin d'en extraire des vérités nouvelles. Cette inspiration nouvelle suscitera le résultat que vous cherchez.

Psaume Quatre-vingt-onze. Lisez-le si vous éprouvez une appréhension, que vous vous sentez en danger. Les indications concernant le Psaume 23 s'appliquent aussi à celui-ci.

Daniel, Chapitre 6. Lisez ce chapitre quand vous êtes entouré de difficultés et que celles-ci vous paraissent presque insurmontables.

Hébreux, Chapitre 2. C'est le chapitre qui vous fera triompher du doute et du découragement.

Jacques, Chapitre 1. Celui-ci est imprégné de psychologie et de métaphysique. Il constitue en soi un enseignement complet. Jacques est à la fois profond, pratique et original.

Exode, Chapitre 15. C'est un chant de victoire, une action de grâce pour l'exaucement d'une prière. Remercier (avant que la démonstration ne se soit réalisée ou même ne se fasse pressentir) est une forme très puissante de la prière.

I Corinthiens, Chapitre 13. C'est l'accomplissement de la loi. Le raccourci qui vous amène à la Santé, à l'Harmonie et à la Réussite. C'est la Porte d'Or.

VOTRE ACQUIESCEMENT MENTAL

LORSQUE vous admettez mentalement une idée bonne ou mauvaise, vous vous y associez et l'incorporez à votre conscience — dans la mesure où vous la comprenez.

Quand vous écoutez un traitement fait à haute voix, que vous lisez un passage des Ecritures, vous y acquiescez mentalement, vous l'incorporez à votre vie et vous en bénéficiez dans la mesure où vous l'avez saisi.

Naturellement, cette loi est effective en sens inverse. Si vous entendez parler d'une injustice ou d'une méchanceté et que vous l'approuviez mentalement, en pensant : « C'est bien fait pour celui à qui c'est arrivé ! » vous vous associez à cette action ; vous la faites participer à votre vie, même si vous n'en parlez pas. Ce qui compte, c'est votre consentement mental.

Ne vous associez, sous aucun prétexte, à quoi que ce soit de négatif ou de mauvais ; vous garderez de la sorte votre conscience claire et pure.

Unissez-vous par votre harmonie mentale habituelle à la beauté et à la perfection infinies qui vous entourent continuellement. *Ne donnez votre assentiment qu'à la Vérité.*

SEPT POINTS FONDAMENTAUX

IL n'y a qu'une seule et unique CAUSE — le grand Esprit Créateur : Dieu.

Dieu *est* INTELLIGENCE INFINIE. Il *possède* l'INTELLIGENCE INFINIE. Il sait tout. Il est tout puissant. Il peut tout, quel que soit le moment, indépendamment de toutes conditions. La nature et la caractéristique de Dieu, c'est le BIEN ABSOLU, L'AMOUR PARFAIT. Dieu n'agit que pour guérir, libérer ou inspirer.

Vous êtes un centre d'expression divine, là où vous vous trouvez. Vous êtes une individualisation de Dieu, mais il faut que vous découvriez et preniez peu à peu conscience de ce fait.

Ce qui vous entoure reflète votre image et votre ressemblance, comme l'a dit Emerson. Ce que vous croyez vraiment (surtout subconsciemment) se manifeste dans votre corps et dans les circonstances de votre existence.

Si vous faites tout ce que vous pouvez pour mener une vie conforme à la vérité spirituelle, il est probable que la plupart de vos difficultés actuelles ne proviennent pas de vos pensées erronées, mais sont la conséquence d'un lointain passé. Elles apparaissent afin que vous les surmontiez et en soyez délivré à jamais.

Vos ennuis ne sont pas dus nécessairement à des péchés commis présentement ou jadis, mais sont plutôt le résultat de votre ignorance ou d'erreurs commises dans une bonne intention. Les effets du péché sont beaucoup plus difficiles à supprimer ; on y arrive complètement, cependant, en abandonnant le péché incriminé.

OUVREZ LES VOLETS

IL ne nous appartient pas de créer le bien — il est là, maintenant même. Nous n'avons pas à persuader Dieu d'être Amour ou Vie ou Vérité ou Intelligence ; car déjà Il est tout cela et l'a toujours été. Il n'est pas nécessaire que nous Lui demandions de Se souvenir de nous, car toujours Il est avec nous. Nous ne pouvons demander un bien quelconque qui, déjà, ne soit à notre disposition.

Nous n'avons pas davantage à lutter contre le mal ; fondamentalement, le mal est une idée fausse au sujet du bien et guérir consiste à dégager sa pensée de l'erreur par la connaissance de la Vérité. Quand vous tournez l'interrupteur pour donner de la lumière dans une pièce, vous vous n'avez pas à chasser l'obscurité par la porte ou la fenêtre. La lumière inonde la pièce et cela suffit, car les ténèbres ne sont point une entité mais seulement l'absence de lumière.

Si nous tirons les volets de toutes les pièces d'une maison, celle-ci sera dans l'obscurité et deviendra probablement humide et malsaine, même si le soleil resplendit dehors. Pour remédier à cet état de choses, nous ne tenterions pas de faire briller plus vivement le soleil (ce qui nous serait impossible), nous ne chercherions pas davantage à créer la lumière du jour dans la maison. Tout ce que nous ferions, et ce serait du reste la seule solution, ce serait d'ouvrir les volets. Ouvrir fenêtres et volets suffirait certainement à remédier à la situation. Le soliel entrerait à flot et tous les autres bienfaits s'en suivraient.

Dieu est sans cesse avec nous, mais nous fermons les fenêtres de notre âme et tirons les épais volets de la peur, du doute, de l'égoïsme entre Lui et nous.

Le salut consiste à ouvrir fenêtres et volets — Dieu fera le reste.

DIEU, LE GRAND AMI

DIEU est votre meilleur ami. Sans cesse, Il est présent et vous pouvez toujours vous tourner vers Lui pour être aidé et guidé. Jamais Il ne déçoit.

Il est évidemment ridicule de s'imaginer que Dieu n'est qu'un être extraordinaire, une édition magnifiée de nous-mêmes ; mais quand on échappe à cette erreur, on tombe parfois dans l'excès contraire en pensant que Dieu n'est qu'une force impersonnelle comme l'électricité ou la pesanteur. Cette erreur est la plus dangereuse des deux parce qu'elle laisse l'homme sans personne sur qui il puisse compter, si ce n'est lui-même, or rien n'est plus tragique. On se dit en pareil cas : Je puis triompher de cette difficulté en y pensant correctement ; mais il faut que j'agisse seul, avec mes propres forces ; peut-être n'en serai-je pas capable ! On oublie que Dieu aide toujours.

Bien que Dieu ne soit pas qu'un homme extraordinaire, *Il possède toutes les qualités de la personnalité sans que celles-ci soient limitées.*

Pensez à Dieu comme à un tendre Père, toujours prêt à guérir et à consoler. Souvenez-vous qu'Il vous connaît ; qu'Il vous aime et prend soin de vous. Souvenez-vous que Son Intelligence est infinie ; qu'Il est Intelligence infinie. Souvenez-vous qu'Il est tout puissant et que Sa nature est amour parfait. Allez à Lui, aujourd'hui, exactement comme vous l'auriez fait, et avec le même esprit que lorsque vous aviez cinq ou six ans — mais avec une compréhension plus vaste, acquise depuis lors.

Comprendre correctement la métaphysique ne peut affaiblir votre croyance en l'existence personnelle de Dieu. Elle ne peut que l'augmenter. Le but de l'enseignement du Christ n'est pas de détruire mais d'accomplir.

« Bien-aimés, nous sommes maintenant enfants de Dieu, et ce que nous serons n'a pas encore été manifesté ; mais nous savons que, lorsque cela sera manifesté, nous serons semblables à lui, parce que nous le verrons tel qu'il est » (1).

---

(1) Jean 3 : 2.

DECLARATION DE NOS DROITS DIVINS

VOUS pouvez avoir dans la vie tout ce à quoi vous avez droit — si vous êtes disposé à en payer le prix, en édifiant l'équivalence mentale correspondante. Autrement dit, vous pouvez avoir tout ce à quoi vous avez droit à condition de vous y être préparé mentalement.

Vous avez droit à tout ce qui vous serait bon — à tout ce qui vous rendrait mieux portant, plus heureux, plus libre et plus utile. Voilà la Déclaration des Droits que Dieu vous octroie.

Lorsque vous pensez : « J'aimerais faire ceci ou cela ou avoir telle ou telle chose », c'est, en votre âme, la voix de Dieu vous prévenant que le moment est venu d'aller de l'avant.

Veuillez remarquer que vous n'avez droit qu'à ce qui est bon pour vous et peut vous rendre heureux. Il va sans dire que vous n'avez aucun droit sur ce qui appartient à autrui et ne devez pas empiéter sur les droits des autres en les obligeant, par exemple, à faire quelque chose dont ils n'ont pas envie.

Quand vous constatez que vous désirez quelque chose, tout en sachant en votre cœur que vous n'y avez pas droit, cela prouve simplement que vous vous êtes trompé. Ce que vous souhaitez, en réalité, c'est le bonheur et la liberté que vous apporterait, croyez-vous, ce que vous convoitez — mais ce n'est pas l'objet lui-même qui n'est qu'un moyen de les obtenir.

Dites-vous, en pareil cas, ce moyen n'est pas bon puisque je n'y ai aucun droit ; mais Dieu peut m'accorder ce bonheur et cette occasion favorable d'une autre manière, sans que j'empiète sur les droits de qui que ce soit.

Traitez-vous par cette pensée : « Je suis en contact avec la Source de ce bien que je désire ; la puissance divine me l'envoie par une voie différente et légitime. La Déclaration des Droits divins dit que vous avez droit à la santé, au bonheur, à la vraie réussite et qu'il y a toujours un moyen légitime de les obtenir. Dieu vous montrera le sentier que vous devez suivre, et l'aplanira si vous vous confiez en Lui.

« Reconnais-le dans toutes tes voies et il aplanira tes sentiers » (1).

---

(1) Proverbe 3 : 6.

MAITRE ET NON ESCLAVE

UN philosophe a défini l'existence : « Une adaptation au milieu », déclarant que tout ce qui vit s'efforce de survivre et, si possible, de se développer en s'adaptant aux conditions dans lesquelles il est placé.

Il est certain que ce point de vue est juste en grande partie, tout au moins en ce qui concerne le règne animal et végétal. La vie est tenace et fait preuve de ressources extraordinaires pour s'adapter à des conditions défavorables.

En ce qui concerne l'humanité, cependant, le cas est différent. La Bible enseigne que l'homme ne doit point s'adapter tant bien que mal aux circonstances extérieures, mais qu'il a la faculté de les modifier ou de les approprier afin qu'elles lui conviennent. Voilà ce qui distingue essentiellement le matérialisme de la Vérité spirituelle.

Vous ne devez pas tirer le meilleur parti possible de conditions déplorables ou hostiles ainsi que le fait l'animal ou la plante. Vous avez en vous une étincelle divine — Christ en vous — et en stimulant et en développant votre nature spirituelle, *vous pouvez transformer les conditions extérieures afin qu'elles vous conviennent.*

C'est ce que nous appelons la Prière scientifique. Grâce à celle-ci, Dieu, le Tout Puissant, agira par votre intermédiaire et vous rendra maître de votre destin — *le maître, non pas le serviteur soumis aux conditions extérieures.*

L'homme diffère fondamentalement des animaux supérieurs du fait qu'il jouit de son libre arbitre, qu'il est doué de raison et d'intuition. C'est en apprenant à se servir de ces facultés qu'il acquiert la domination. La Bible dit, en effet, que Dieu a donné à l'homme la domination sur toute chose.

OBTENEZ DES RESULTATS

LA voie royale du progrès en la compréhension spirituelle consiste à résoudre par la prière des difficultés bien définies.

Chaque fois que par votre prière vous rétablissez l'ordre et l'harmonie dans une situation même insignifiante, en y travaillant pour vous ou pour quelqu'un d'autre, vous développez votre compréhension spirituelle. La guérison complète du corps ou d'un état de chose quelconque vous en apprendra davantage sur la vérité spirituelle que des heures de lecture ou de discussion.

Ne perdez pas votre temps à essayer de répondre à des questions de théorie ou de doctrine.

Toute réponse de ce genre ne constituerait qu'une nouvelle théorie intellectuelle. Réformez une situation erronée, ou traitez-vous, vous-même, par la prière afin d'acquérir la compréhension divine et, plus tard, quand vous serez prêt, vous vous apercevrez que vous saisissez la vérité concernant ce qui vous préoccupait au lieu d'en donner simplement une explication conventionnelle et intellectuelle.

Ne vous attendez pas à comprendre tout ce

qui concerne Dieu et l'homme au bout de quelques semaines d'étude. Certaines questions métaphysiques qui ne manquent pas de se poser à l'esprit, ne peuvent recevoir de solution sans une sérieuse préparation préliminaire ; il est donc inutile de vouloir les résoudre sans y être préparé. Il serait vain pour un élève qui fait de l'algèbre de s'efforcer de comprendre le théorème du binôme alors qu'une simple équation lui semble encore difficile.

Pour acquérir une compréhension suffisante, vous permettant de résoudre les problèmes les plus compliqués, opérez quelques guérisons d'ordre pratique, concernant surtout vos propres difficultés. Vous possédez toujours toute la compréhension nécessaire pour résoudre les problèmes qui se présentent à vous. Vous avez toute celle qu'il faut pour susciter la liberté et l'harmonie — ici et maintenant — là où vous êtes.

Jésus a dit : « C'est donc à leurs fruits que vous les reconnaîtrez » (1).

---

(1) Matthieu 7 : 20.

LA NATURE HUMAINE PEUT-ELLE CHANGER ?

CEUX qui pensent superficiellement posent parfois cette question : « La nature humaine est-elle susceptible de changer ? »

Ils s'obstinent à répéter ces paroles pessimistes : « La nature humaine ne change jamais ». « Que voulez-vous ! On ne peut modifier la nature humaine ! »

En réalité, la nature humaine n'a pas lieu de hanger. Elle est telle, que l'homme peut susiter à l'infini, dans sa vie, soit le bien, soit le nal, en se servant de ses facultés d'une manière positive ou négative, selon le cas. Voilà ce qui la caractérise et aucune autre disposition meilleure n'aurait pu être imaginée. N'importe quelle autre aurait été pire.

Veuillez remarquer que les gens s'expriment comme nous venons de le dire quand un de leurs semblables s'est mal conduit, qu'il s'est montré égoïste, malhonnête ou stupide. On ne les entend jamais faire cette réflexion quand il s'agit d'une action sage ou noble.

Le péché, la maladie et la mort, la guerre et les luttes de tout ordre surviennent du fait que l'homme préfère penser négativement. Il oublie Dieu ; il se prend lui-même pour un être matériel et entièrement distinct qui, à moins de périr, doit subvenir à ses propres besoins, fût-ce aux dépens des autres.

De nos jours, toutefois, la connaissance de la bonté absolue de Dieu, de Sa toute puissance et de Sa présence constante, se répand rapidement dans l'humanité. A mesure que les hommes l'apprendront et en auront de plus en plus conscience, étant donné, justement, « ce qu'est la nature humaine », les circonstances s'amélioreront sous tous les rapports jusqu'à ce que l'humanité jouisse, sans exception, de la paix et de l'harmonie. La nature humaine est telle que l'homme a la faculté de se tourner vers Dieu, en tout temps et partout où il est. D'autre part, en croyant à la sollicitude de Dieu et à Sa protection, et en agissant en conséquence, il peut remplir son cœur de paix, de sérénité ; il peut reconstruire son corps afin que celui-ci soit sain et vigoureux, il peut, enfin, susciter un milieu où tout est joie et harmonie.

La nature humaine est telle que lorsque la peur, la tentation, la colère ou la tristesse, ou toute autre pensée négative l'assaillent, l'homme peut les dissiper en pensant correctement et retrouver son bonheur et sa confiance. Voilà la nature humaine telle que la Providence l'a créée ; quel changement voudriez-vous y apporter ?

Nous possédons la clef nous permettant d'accéder à l'harmonie parfaite, à la perfection infinie, que pourrions-nous désirer de plus ?

« Je suis venu afin qu'elles aient la vie et qu'elles l'aient surabondamment » (1).

---

(1) Jean 10 : 10.

LAISSEZ DIEU VOUS EN RENDRE DIGNE

N'HESITEZ jamais à vous approcher de Dieu par la prière sous prétexte que vous ne vous en sentez pas digne. Si vous attendez de l'être, vous n'irez jamais à Lui. Aucun de nous ne serait sauvé s'il fallait que nous attendions d'en être dignes, car de nous-mêmes cela nous est impossible.

Tournez-vous vers Dieu, tel que vous êtes ; si indigne, si pécheur que vous vous sentiez, Dieu vous viendra en aide et commencera en vous Son œuvre de régénération, à condition que vous alliez à Lui avec sincérité et de *tout votre cœur.*

Seul, Dieu peut vous rendre meilleur. Lui seul peut effacer vos fautes et reconstruire votre vie. Plus votre impression de culpabilité est grande, plus vous avez de raisons de vous tourner vers Lui. Dieu ne refuse jamais de secourir quelqu'un. Il s'approche de celui qui vient à Lui et lui dispense tout ce qui lui manque.

Le seul fait que vous priez prouve que Dieu Lui-même a instauré la prière ; est-il pensée plus belle que celle-ci ? On vous a dit que le Christ enfant était né dans une étable, non point dans un palais ; ce fait est le symbole suprême du principe que nous venons de considérer.

« Vous tous qui avez soif, venez aux eaux » (1).

(1) Esaïe 55 : 1.

DONNEZ-LUI LE TEMPS...

CERTAINES personnes acceptent l'idée que, si elles modifient leur façon de penser, et de plus se tournent vers Dieu par la prière, leur vie en sera transformée et connaîtra l'harmonie et la liberté. La logique de ce principe leur plaît et elles le mettent sincèrement en pratique. Puis, au bout de quelques jours, elles se disent : « Après tout, il n'y a pas de changement ! » et elles retombent dans leurs pensées négatives.

Rien n'est plus absurde. Les résultats d'une manière de penser généralement négative ne peuvent se corriger en quelques jours. Une personne soumise à des prescriptions médicales, à un régime alimentaire nouveau, ne s'attend pas à en retirer le bénéfice en si peu de temps. Vous devez vous en tenir à votre nouvelle manière de penser pendant une période raisonnable et ne point vous laisser décourager par les échecs apparents du début.

Le motif légitime qui vous pousse à adopter une manière de penser correcte, n'a d'autre raison que celle d'être, en effet, légitime, alors qu'une manière erronée de penser est erronée et que nous devons agir correctement, que cela nous soit avantageux ou non. Il est évident, par ailleurs, que ce qui est juste rapporte des dividendes — de fabuleux dividendes même — mais il faut d'abord que nous fassions preuve d'un peu de persévérance en ce qui concerne la lenteur des préliminaires. Les débutants obtiennent souvent des résultats extraordinaires au commencement mais pas toujours, et nous ne devons point compter sur cette chance. Il faut que nous comprenions que la pensée correcte et la pratique de la présence de Dieu n'obéissent pas au hasard, mais à une loi inflexible, même si un peu de temps et de persévérance sont nécessaires pour démontrer cette loi.

« Vous me chercherez et vous me trouverez, si vous me cherchez de tout votre cœur » (1).

(1) Jérémie 19 : 13.

SIMPLE ET CLAIR

QUE vos prières soient aussi simples que possible — simples en expression et simples en pensée. Le secret de l'efficacité d'une prière, c'est qu'elle est simple, directe, spontanée. Dès qu'une prière se complique, qu'elle devient littéraire et ampoulée, elle se transforme en un exercice intellectuel et perd toute sa puissance spirituelle.

Nous devons tâcher de rester simples et clairs en étudiant les principes de la métaphysique. Pour notre bien et celui de tous ceux que nous cherchons à éclairer, faisons-nous un devoir d'exprimer ce que nous croyons et comprenons dans les termes les plus simples et les plus connus.

Si nous exprimons nos idées sur la religion en un style vague et amphigourique, si nous nous servons d'une quantité de mots peu usuels ou ambigus, c'est le signe certain que nous ne comprenons pas de quoi nous parlons et que nous essayons de nous donner le change. Cet expédient est un tour bien connu que nous joue notre subconscient pour nous berner ; soyons donc sur nos gardes à cet égard.

Tout ce que nous saisissons réellement, nous

sommes capables de l'expliquer en termes suffisamment clairs — à condition que le sujet soit susceptible d'être expliqué d'une manière quelconque. Un air de componction se traduisant par une phraséologie vague et mystérieuse est le signe infaillible d'un manque de sincérité et d'un esprit confus.

L'ETERNEL PRESENT

VOUS est-il jamais venu à l'idée que le seul moment qui vous appartenait était l'instant présent. Tous, nous l'avons entendu dire, maintes et maintes fois, mais très peu d'entre nous, probablement, ont saisi même légèrement, ce que cela impliquait. Eh bien, cela signifie que l'on ne peut vivre que dans le présent, que l'on ne peut agir que dans le présent et ne faire des expériences que dans le présent.

Et surtout, cela veut dire que *la seule chose que vous deviez réformer, c'est la pensée que vous avez au moment présent*. Quand vous aurez bien compris cela, tout changera d'aspect et reflètera la joie et l'harmonie. Ceux qui cherchent à s'élever sur le plan spirituel se disent, en lisant cette affirmation : « C'est évident, du reste, je le sais. Je le sais même depuis des années ». Mais il y a bien des chances pour qu'ils ne l'aient pas comprise à fond. Quand cela sera le cas, des résultats remarquables s'en suivront.

Tout ce que vous êtes susceptible de connaître, c'est votre pensée présente ; tout ce qui vous arrive est la concrétisation des pensées et des opinions que vous entretenez à l'instant même. Ce que vous appelez le passé n'est que le souvenir que vous en gardez. Les conséquences apparentes des événements passés — bonnes ou mauvaises — ne sont encore que l'expression de votre état d'esprit présent (votre subconscient y compris, naturellement).

Ce que vous nommez l'avenir — qu'il s'agisse de projets ou de faits que vous appréhendez — tout cela n'est de même que votre état d'esprit présent.

Voilà la réelle signification de la phrase bien connue « L'éternel présent ». La seule joie que vous puissiez connaître est celle dont vous faites l'expérience maintenant. Un bon souvenir est une joie présente. La seule souffrance que vous puissiez éprouver appartient aussi au moment présent. Les souvenirs tristes vous causent de la peine à l'instant présent.

Arrangez-vous pour que le présent soit bon. Prenez conscience de la paix, de l'harmonie, de la joie, de la bonne volonté de l'instant présent. En vous attachant à ces conditions-là ; en les voulant ; en oubliant tout le reste pendant le traitement — les problèmes passés et futurs se débrouilleront d'eux-mêmes.

« Au reste, frères, que tout ce qui est vrai, tout ce qui est honorable, tout ce qui est juste, tout ce qui est pur, tout ce qui est aimable, tout ce qui mérite l'approbation, ce qui est vertueux et digne de louange, soit l'objet de vos pensées » (1).

---

(1) Philippiens 4 : 8.

LAISSEZ ECLORE LE POUSSIN

Un petit citadin passait ses vacances dans une ferme. On lui fit voir une poule en train de couver et on lui dit qu'un jour de chaque œuf sortirait un poussin. Cette perspective extraordinaire enchanta l'enfant. Tous les matins il venait voir si le miracle s'était accompli.

Les jours passaient et rien ne survenait. Les œufs ne changeaient pas ; rien ne variait dans leur apparence. Peu à peu, la confiance du petit diminua. Enfin, un beau jour, il perdit tout espoir et se dit avec amertume qu'on s'était moqué de lui et qu'il ne se passerait rien.

Le lendemain, cependant, par habitude, il revint voir la poule sur son nid, mais, ô merveille ! Quelle ne fut pas sa joie en apercevant de ravissants poussins qui couraient de ci, de là.

Evidemment, des changements extraordinaires s'étaient effectués pendant tout ce temps à l'intérieur des coquilles, mais rien ne les avait signalés jusqu'au moment où les poussins apparurent soudain, parfaitement constitués.

Certaines de nos plus grandes démonstrations s'opèrent dans les mêmes conditions. Pendant très longtemps aucun changement extérieur ne se manifeste ; mais si nous demeurons fermes dans la foi, malgré les apparences, la démonstration surviendra, fut-ce à la treizième heure.

Dans cette histoire, c'est le spectateur qui avait perdu confiance — ce qui était sans importance. Mais si cela avait été la mère poule... il n'y aurait pas eu de poussins. Donnez à vos démonstrations le temps d'éclore ! Gardez votre foi en Dieu.

COMMENT AGIT LA PRIERE

LA prière nous aide toujours dans la mesure où nous la faisons de tout notre cœur et avec toute notre foi. Techniquement, nous dirions que son efficacité dépend de notre compréhension, c'est-à-dire de l'état de conscience que nous avons atteint. *Il nous est fait selon notre foi* ; voilà l'explication la meilleure et la plus simple.

Comment opère la prière, est une autre question fort intéressante, du reste, pour ceux qui s'initient à la psychologie et à la métaphysique. En réalité, voici ce qui se passe. Votre prière agit en modifiant votre subconscient. Elle chasse la peur et détruit les idées fausses qui ont amené des perturbations.

Tout événement de votre vie est la manifestation d'une conviction de votre subconscient. Toute maladie, toute difficulté n'est que la matérialisation d'une idée négative enfouie quelque part en votre subconscient et qui a pris corps sous l'effet de la peur. La prière, en faisant disparaître complètement ces pensées négatives, leur manifestation disparaît de ce fait et la guérison s'opère forcément.

La prière, vous le voyez, n'a pas d'action directe sur votre corps ou sur les événements ; elle transforme votre mentalité — ce qui a pour effet, naturellement, de modifier aussi les circonstances extérieures.

« *Ne vous conformez pas au siècle présent* (l'image négative) mais soyez transformés par le renouvellement de l'intelligence, afin d'éprouver que la volonté de Dieu est bonne, agréable et parfaite » (1).

---

(1) Romains 12 : 2.

QU'ADVIENT-IL DU MAL ?

QU'EST-CE que le mal ? Vous n'ignorez pas que c'est une idée erronée sur les enfants parfaits de Dieu ou sur Son univers parfait. Il faut qu'une conviction fausse soit stimulée par la peur, sinon elle reste sans effet. Une affirmation négative ou une suggestion à laquelle nous ne croyons pas — et par conséquent que nous ne craignons pas, ne peut nous nuire. Toutes nos difficultés proviennent de pensées négatives enfouies dans notre subconscient ; or, chacune d'elles est constituée par une conviction fausse à laquelle s'ajoute un élément de peur.

Vous savez tous que la prière guérit en détruisant le mal ; certaines personnes se demandent parfois : Mais que devient le mal ? Où s'en va-t-il ?

La réponse à cette question est facile à comprendre quand on sait que toute pensée n'est qu'une vibration de l'esprit. Les pensées bonnes sont des vibrations hautes et belles, tandis que les mauvaises pensées sont des vibrations plus basses et plus denses. La vibration est du même ordre que la pensée. La prière arrête les vibrations de l'esprit au point voulu et voilà tout. Vous avez sans doute entendu une fourchette qui, en vibrant, produisait une certaine note. Arrêtez cette vibration en posant le doigt sur la fourchette et la note cessera. Qu'est-il advenu de la vibration ? C'est bien simple : ce n'était qu'un mouvement qui s'est arrêté.

Si nous sommes assez stupides pour répéter les erreurs qui ont causé nos difficultés, si nous nous laissons aller de nouveau à la peur, à la critique, si nous nous apitoyons sur nous-mêmes, etc., nous produisons des vibrations semblables qui feront naître automatiquement les mêmes difficultés. Ce ne sont pas les mêmes ennuis qui reviennent, nous en avons fait surgir une édition nouvelle.

Nous ne pouvons compter sur la santé et le bonheur que si nous nous habituons à n'entretenir que des pensées harmonieuses.

C'est votre conduite mentale qui détermine le caractère de votre vie.

VOTRE GRANDE CHANCE

LA difficulté que vous affrontez en ce moment est pour vous une grande chance. Votre esprit — Jésus l'appelait le Lieu secret — est la Chambre du Conseil où se prennent les décisions et les dispositions dont dépend votre vie, mais c'est aussi l'atelier où s'élaborent les plans concernant votre destinée. Votre vie est votre Laboratoire, le monde votre chantier.

Votre développement spirituel est l'unique raison de votre présence sur terre ; pour atteindre votre but, il faut que vous affrontiez les difficultés de l'existence quotidienne et les surmontiez. Si louables que soient vos intentions, ce n'est pas en fuyant le monde, en vous réfugiant dans la grotte d'un ermite ou dans une retraite conventionnelle que vous progresserez spirituellement. Vous n'atteindrez pas davantage votre but par la force de votre volonté, la violence ou d'habiles subterfuges.

Vous croîtrez « en grâce et en sagesse » en résolvant les uns après les autres vos problèmes journaliers par la pratique de la présence de Dieu, par une attitude tolérante à l'égard d'autrui, par votre simple bon sens (la sagesse divine en vous) par votre honnêteté sincère en toute circonstance et, enfin, en cultivant un sens juste de l'humour — qui toujours rapproche de Dieu.

Le point essentiel, c'est qu'il faut faire face à la vie et la maîtriser. Les conditions et les apparences extérieures n'ont vraiment aucune importance si ce n'est qu'elles vous offrent les éléments nécessaires pour que s'opère votre croissance spirituelle. La Loi veut que toute difficulté survenant à n'importe quel moment est exactement ce qui vous est nécessaire à cet instant-là pour vous permettre de progresser spirituellement après l'avoir surmontée. Aucune circonstance difficile n'est inutile. Le seul malheur, le seul vrai drame, c'est de souffrir sans rien apprendre.

Bien sûr, chacun a éprouvé parfois le désir de « tout laisser tomber » pour jouir, enfin, de la paix et de la tranquillité ; comme le poète, il a soupiré « Je voudrais entendre les cloches du soir tinter dans les temples de jadis ! » Mais c'est une erreur. Vous ne vivez pas « dans les temples de jadis » et ne le pourriez pas, du reste. Ces pensées ne sont que rêveries sentimentales. La paix réelle ne naît pas des circonstances extérieures mais du dedans de nous. On peut être rempli de peur et de haine sur le plus haut et le plus lointain des sommets et goûter la Présence de Dieu dans un jardin public.

Réveillez-vous ! Prenez conscience de Dieu; laissez-Le vous donner la liberté et le bonheur parfaits — ici et maintenant.

« Je ne te prie pas de les ôter du monde mais de les préserver du mal » (1).

---

(1) Jean 17 : 15.

LE BULBE ET LA FLEUR

QUI n'a pas, une fois ou l'autre, planté un bulbe dans la terre ou dans un pot et attendu avec plaisir que la plante apparaisse, pousse et donne, enfin, sa belle fleur.

Pour les enfants, en particulier, posséder un oignon de fleur et s'intéresser à sa croissance est une des émotions les plus palpitantes que la vie puisse leur offrir.

Veuillez remarquer que vous plantez votre bulbe en vous attendant à voir pousser une fleur — jacinthe ou crocus —. Aucune personne sensée ne songerait à planter une fleur en espérant voir poindre un bulbe. Pourtant, dans la vie, c'est ce que font beaucoup d'entre nous.

Nous croyons que nous jouirions d'un état physique ou mental désirable : bonheur, liberté, santé — s'il vous était possible de modifier d'une manière quelconque les conditions extérieures. N'est-ce point essayer, justement, de planter une fleur afin d'obtenir un bulbe, puisque nous nous attendons à produire l'effet avant la cause.

La Loi de l'univers veut que la pensée précède l'expression — cet ordre ne peut être inversé.

Lorsque vous changez votre manière de penser ou corrigez une opinion erronée, vous plantez le bulbe d'une pensée juste ; vous pouvez donc être certain qu'il donnera naissance à la fleur du bonheur et de la santé.

Voilà la façon de procéder, il n'y en a pas d'autre.

LE BUT DE NOTRE VIE

IL est certaines tâches essentielles pour lesquelles nous devons acquérir quelque maîtrise en cette vie, à moins de perdre notre temps. Ce sont les suivantes :

— Etablir un contact personnel avec Dieu.

— Guérir notre corps et le régénérer, manifester une parfaite santé.

— Savoir nous dominer et trouver notre vraie place.

— Apprendre à traiter les autres avec sagesse et équité.

— Mettre au point une technique pour obtenir une inspiration personnelle sur un sujet général ou particulier.

— Tourner définitivement le dos au passé.

— Préparer l'avenir avec précision et intelligence.

Avoir fait quelque progrès réel sur chacun de ces points, même si nous sommes loin encore d'une maîtrise complète, doit être considéré comme une réussite. Il est évident que nous progresserons plus ou moins pour certains d'entre eux, mais il faut, cependant, que pour chacun nous nous soyons améliorés.

PRENEZ LES DISPOSITIONS MATERIELLES NECESSAIRES

QUAND vous vous mettez en devoir de résoudre un problème par la prière, il faut que vous preniez en outre toutes les dispositions matérielles habituelles. Ne vous contentez pas de prier et de rester assis en attendant que survienne quelque chose d'extraordinaire. Par exemple, si vous priez pour trouver une situation, faites-le chaque jour aussi bien que vous le savez, puis mettez-vous en campagne ; rendez-vous dans les agences, allez voir des gens susceptibles de vous procurer du travail, écrivez, faites insérer des annonces dans certains journaux, si tout cela correspond au genre d'occupation que vous cherchez.

Si vous voulez vous guérir, choisissez le traitement spirituel qui vous convient le mieux, puis prenez les dispositions matérielles qui vous paraîtront indiquées. Demandez-vous si vous vivez en vous conformant aux lois de la santé ; si ce n'est pas le cas, modifiez immédiatement votre manière de vivre.

Si vos affaires ne sont pas florissantes, traitez-les, mais livrez-vous ensuite à un contrôle sévère pour savoir si vous les dirigez avec compétence. Si vous découvrez des points faibles comme c'est fort probable, remédiez-y sur le champ.

Vous ne pouvez certainement pas enfreindre les lois qui régissent le plan sur lequel vous vivez en espérant que l'effet de la prière compensera votre sottise.

Quand vous faites un « traitement » pour être dirigé ou inspiré, c'est souvent votre bon sens qui vous donne la réponse et résout la question. Ce qu'on appelle le sens commun, le bon sens est en effet une forme particulière que prend la sagesse divine.

Si vraiment vous ne savez que faire, c'est le moment ou jamais de prier pour obtenir l'harmonie ou des directives. Attendez patiemment qu'il vous soit répondu, mais n'oubliez pas de faire le nécessaire ; ne négligez rien sur le plan matériel.

S'UNIR A DIEU

ON répète constamment à ceux qui apprennent à vivre sur le plan spirituel qu'ils doivent s'approcher de Dieu, prendre conscience de Sa présence, Le découvrir en eux, s'appuyer sur le Christ en eux, etc., etc. Pour certains, la signification de ces phrases demeure vague ; il est donc utile que nous examinions ce qu'elles veulent dire.

Nous ne pouvons voir Dieu avec nos yeux de chair, ni Le toucher de nos mains. Il est évident que nous ne pouvons entrer en contact avec Lui qu'en pensée. Nous nous approchons donc de Lui toutes les fois que nous pensons à Lui. Voilà ce que signifie la phrase *trouver Dieu en soi.* Dans la Bible, par l'expression « en soi », on entend la pensée, tandis que « extérieurement », « au dehors » désignent le monde extérieur.

Si nous pensons paisiblement à Dieu, en récapitulant tout ce que nous savons sur Lui, nous nous apercevrons bientôt que ces connaissances deviennent de plus en plus une réalité pour nous, qu'elles ont cessé d'être théoriques. *Nous en avons pris conscience,* mais une prise de conscience est *relative.* Ces vérités, nous les sentons plus ou moins vivement suivant le moment ; c'est quand nous les sentons le plus vivement que nous en avons le mieux conscience et que nous obtenons les résultats les plus frappants.

La vérité la plus importante de toutes, c'est que Dieu est toujours avec nous, même lorsque nous ne nous en rendons pas compte ou que nous l'oublions à un moment donné. Nous souvenir de Sa présence et en prendre conscience, tout au moins dans une certaine mesure, *c'est trouver Dieu en soi.*

Cette présence de Dieu près de nous (en nous) est appelée parfois le Christ intérieur ou le *Christ en soi.* Croire que nous ne faisons qu'un avec Lui, avoir foi en Son salut, Sa guérison, Son inspiration, c'est se reposer en Lui.

Etre certain qu'Il résoudra une difficulté déterminée, c'est *remettre son fardeau* au Christ qui est en nous.

« Et on lui donnera le nom d'Emmanuel — ce qui signifie Dieu avec nous » (1).

---

(1) Matthieu 1 : 23.

VOIR DIEU PARTOUT

CEUX qui suivent le sentier spirituel savent qu'ils doivent s'efforcer de voir Dieu partout et en tout temps. Ceci n'est cependant pas très clair pour certaines personnes.

La Vérité de l'Etre, c'est que toute la création est l'expression de Dieu. Nous-mêmes, nous sommes des individualisations de Dieu, par lesquelles Il cherche à Se manifester toujours davantage.

L'homme, ne comprenant pas cela, se forge des idées fausses sur la Vérité. Il aperçoit autour de lui de nombreuses imperfections ; Il se sent séparé de Dieu et ne dépendant que de ses propres efforts.

Voir Dieu partout, c'est se souvenir sans cesse de cette *Vérité*. Il faut, naturellement, que nous prêtions sans cesse toute notre attention à ce que nous sommes en train de faire, mais en ayant toujours cette arrière-pensée : c'est Dieu qui agit par mon intermédiaire. Tout en conduisant votre voiture et en surveillant attentivement la route, vous vous souvenez sans peine, par exemple, que vous devez téléphoner en arrivant à destination.

N'oubliez jamais non plus — surtout au

cours d'une entrevue importante — que c'est Dieu, en réalité, qui Se manifeste par l'entremise d'autrui. Si votre interlocuteur ne se conduit pas comme il le devrait, pensez : si je le considère du point de vue de la Vérité, c'est Dieu qui œuvre, en ce moment, à travers lui. Immédiatement, son comportement envers vous s'améliorera.

Un chanteur, un acteur, un orateur, devraient penser continuellement : C'est Dieu qui par ma voix s'adresse à cet auditoire pour lui faire du bien. Chaque auditeur, dans une certaine mesure en ressentirait le bienfait et deviendrait plus amical, plus compréhensif.

C'est en cela que consiste la réelle Pratique de la Présence de Dieu.

AUX PRISES AVEC L'EPOUVANTAIL

QUAND surgit un problème particulièrement difficile ou un événement grave, beaucoup de ceux qui étudient les principes de la Vérité l'affrontent à rebours. Ils commencent par se dire : « Voilà quelque chose de très sérieux ! » et, mentalement, ils rassemblent leurs forces en vue d'un suprême effort; ils prennent la résolution de prier tant qu'ils pourront et aussi longtemps que possible, afin d'affronter cette difficulté.

Ils ont tout à fait tort. Leur attitude ne sert qu'à rendre le problème infiniment plus compliqué qu'il ne l'était à l'origine. Enfin, ils se mettent en devoir de faire un grand effort mental pour donner plus de puissance à leur prière, ce qui constitue une autre erreur, leur force mentale étant en effet absolument inopérante. Dieu, seul, peut rétablir l'ordre parfait : or, cet effort auquel ils s'astreignent montre en réalité que Dieu pourrait ne pas intervenir.

L'attitude convenable, celle qui suscite la Victoire, est la suivante :

1. Pensez : Dieu peut et veut résoudre ce

problème à la condition que j'adopte l'attitude mentale convenable.

2. Au lieu de prononcer la Parole en étant sur le plan inférieur de la peur et des limitations, de vous fier à vos efforts pour magnifier la Parole, cessez de penser à ce qui vous préoccupe et élevez votre état de conscience. Mettez-y tout le temps qui vous paraîtra nécessaire — quelques secondes, quelques minutes, des heures ou même des jours.

3. Quand vous aurez atteint un niveau de conscience plus élevé, prononcez doucement la Parole. *A ce niveau-là* votre problème se résoudra.

Nous élevons notre état de conscience en pensant à Dieu jusqu'à ce qu'Il nous intéresse vraiment. Cette élévation diffère selon les gens, de même que le temps nécessaire pour y parvenir et ceci, du reste, peut varier selon le moment, pour la même personne.

Il est évident que cet état de conscience élevé n'a rien de vague ou d'anormal. C'est simplement le fait d'éprouver à l'égard de Dieu un intérêt sain et rationnel.

LE PECHE IMPARDONNABLE

IL y a un péché, déclare la Bible, qui ne peut être pardonné ; ceci est une cause d'effroi pour une multitude de chrétiens. A chaque instant, je reçois des lettres me demandant de quel péché il s'agit.

Soyons absolument clairs sur un point. Il n'est aucun péché commis par un être humain que Dieu ne soit prêt à pardonner, s'il est l'objet d'une sincère repentance.

Certains prétendent que ce péché impardonnable n'est autre que le blasphème contre le Saint-Esprit. A dire vrai, ce péché consiste à se fermer à toute inspiration nouvelle, à toute direction divine. Si votre esprit s'imagine connaître déjà à fond tout ce qui se rapporte à Dieu ; si vous avez décidé que la Vérité n'a plus de secret pour vous et que vous ne pouvez vous tromper, il est impossible au Saint-Esprit de vous ouvrir les yeux pour que vous découvriez votre erreur afin que vous soit révélée une Vérité plus haute — du moins tant que votre attitude restera la même.

Tant que vous entretiendrez cet état d'esprit, il est évident que ni secours, ni amélioration ne peuvent s'opérer en ce qui vous concerne, et dans ce sens, voilà qui est impardonnable — impardonnable tant que vous ne changez pas.

Dès que vous modifiez votre attitude, vous êtes éclairé et le péché disparaît.

Dans la Bible, ce fait est rapporté d'une manière pittoresque propre à la tradition orientale et n'implique nullement ce qu'une interprétation littérale indiquerait (1).

---

(1) Voyez *Le Sermon sur la Montagne.*

UNE EXPERIENCE PASSIONNANTE

PUISQUE vous étudiez les principes de la Vérité, vous croyez que Dieu est *toute puissance, intelligence infinie* et que Sa nature est *bonté* et *amour* sans limite.

Vous croyez aussi qu'Il vous connaît, vous aime et qu'Il tient à vous ; qu'en réalité, enfin, vous ne faites qu'un avec Lui.

Pourquoi ne feriez-vous pas l'expérience suivante qui, non seulement serait passionnante, mais susciterait le bien dans votre vie sous une forme nouvelle et déterminée ? En agissant de la sorte, vous en apprendriez plus en un jour que vous ne le feriez pendant plusieurs semaines de lectures et de conférences.

Voilà ce qu'il faut que vous fassiez. *Pendant une journée entière, pensez, parlez et agissez exactement comme vous le feriez si vous étiez absolument convaincu de la Vérité exprimée dans le premier paragraphe.*

Vous y « croyez » théoriquement, bien sûr; mais vous conformer littéralement à ce que vous croyez est tout autre chose. Pour que cette expérience ait une signification quelconque, il faut absolument que vous jouiez votre rôle à fond.

Penser de la sorte toute une journée vous sera très difficile, car rien n'est plus subtile que la pensée. Parler conformément à ces vérités vous sera plus aisé, si vous êtes vigilant. Agir en les mettant en pratique sera la partie la plus facile de votre expérience, bien que cela puisse exiger de vous beaucoup de courage moral.

Si nous croyions à ces vérités avec la confiance indiscutable que nous accordons par exemple à l'existence du métro ou du téléphone, aucune difficulté, aucun chagrin, aucune crainte ne pourrait subsister très longtemps.

DIFFERENTES FORMES DE LA PRIERE

C'EST une erreur de croire qu'il n'existe qu'une forme de la prière. Il en est de nombreuses. La meilleure, en règle générale, est celle qui nous plaît le mieux au moment même. Le point essentiel pour triompher d'une difficulté, pour résoudre un problème, c'est de prendre conscience de la présence et de la bonté de Dieu plus que de ce qui vous préoccupe. A mesure que l'on se rapproche de cet état d'esprit, toute peur consciente diminue d'une manière constante.

La Prière scientifique, appelée aussi Traitement, consiste à éliminer de votre esprit le problème qui vous absorbe afin de prendre conscience de l'omniprésence de Dieu ; c'est, de loin, la forme de prière la plus efficace — si vous pouvez en user.

Bien des gens, évidemment, ne sont pas encore prêts à appliquer cette méthode. Ils obtiennent cependant d'excellents résultats en se servant des formes orthodoxes de la prière, à condition toutefois de s'attarder aussi peu que possible sur ce qui est négatif.

Par exemple, en priant pour un malade, évitez d'énumérer les symptômes de son mal et de vous y arrêter. Priez pour la guérison et la santé. S'agit-il d'un soldat au front, priez pour son bien-être et sa sécurité. Ne demandez pas à Dieu de le protéger contre les balles et les éclats d'obus ou tout autre danger ; ce serait vous appesantir sur le côté négatif de sa situation. Cette erreur ne nuirait pas au soldat, mais diminuerait beaucoup le pouvoir que vous avez de l'aider. Priez l'Amour divin d'être sans cesse près de lui, et soyez convaincu qu'il en sera ainsi.

Ceux qui étudient les principes de la Vérité et prient scientifiquement peuvent faire prendre différentes formes à leur prière. *La Clef d'Or* (1) vous donnera les meilleures directives pour affronter une difficulté déterminée dont vous voudriez être délivré. Par ailleurs, si vous désirez faire affluer plus de bien dans votre vie, une méditation comme *Le Bon Berger* (1) sera plus indiquée. On obtient des résultats extraordinaires dans tous les cas, en se servant de l'une ou l'autre de ces méthodes.

(1) Brochures d'Emmet Fox extraites du *Sermon sur la Montagne.*

CONNAITRE LA VERITE
NE PAS LA FABRIQUER

IL est essentiel de se souvenir que la Vérité est vraie parce qu'elle est vraie et non point parce que nous la rendons telle. Quand nous prions scientifiquement, nous nous souvenons de la Vérité et comprenons mieux ce qu'elle est réellement.

La prière ne modifie pas les choses à notre avantage ; elle les transforme en nous mettant à l'unisson de la Vérité éternelle. Elle ne change pas la Vérité. Quand nous tournons le bouton de notre radio pour obtenir un certain poste, nous entendons le programme que nous désirons, mais notre action ne l'a pas modifié.

Il est très utile de se souvenir que la Vérité est vraie, que l'on en fasse ou non, la démonstration. Si vous pouviez la démontrer cent pour cent, dans tous les détails de votre vie, ce serait fort agréable pour vous, mais la Vérité n'en serait pas plus vraie pour autant. Si vous n'en faisiez pas la démonstration, si même vous n'aviez pas réussi dans votre vie à la démontrer une seule fois, la Vérité serait néanmoins tout aussi vraie.

La loi de l'Etre Absolu est harmonie parfaite, éternelle, immuable ; croire cela avec une certaine conviction suffit pour sortir de ses difficultés.

Vous n'avez à vous occuper de rien d'autre que de vos propres pensées et de vos opinions personnelles.

« Et vous connaîtrez la vérité et la vérité vous affranchira » (1).

---

(1) Jean 8 : 32.

DIEU ŒUVRE AVEC JOIE

N'AYEZ pas l'impression que vous devez prier spécialement pour toutes les bonnes choses que vous aimeriez recevoir. En tout cas, attendez-vous à ce que tout aille bien comme résultat de votre prière quotidienne.

Ne permettez pas à votre étude de la métaphysique de vous faire perdre de l'intérêt à votre vie journalière et surtout à vos affaires. Quand cela se produit, cela peut signifier que vous essayez de vous servir de la métaphysique comme d'une échappatoire. Si votre compréhension spirituelle se développe vraiment, la qualité de votre travail quotidien s'améliorera, et automatiquement, vous irez plus loin et plus haut vers des occupations plus importantes.

Que la méditation et la prière ne soient pas pour vous un devoir. Comprenez bien que votre prière est une visite que vous faites à Dieu; qu'elle doit être reposante et joyeuse et non point représenter une tâche importune. Vous ne devez pas davantage considérer vos occupations quotidiennes comme des obligations dont il faut que vous vous débarrassiez afin de reprendre vos études métaphysiques. Faites tout ce que vous avez à faire avec joie parce que cela vous intéresse, vous souvenant qu'à la lumière de la Vérité, il n'y a pas de tâches profanes. Toutes, en effet, poursuivent un but spirituel quand elles sont considérées comme il se doit.

Ménagez-vous des moments réguliers de repos et de distractions pour ne pas devenir las... et lassant. Profitez du plaisir que vous apportent vos moments de récréation, qu'ils soient pour vous une expression de Dieu, non pas une tâche qui vous prépare à mieux prier. Vivre avec une joyeuse compréhension est la plus élevée des prières.

« *En ta présence sont la plénitude et la joie* ».

SE CONDAMNER EST UNE ERREUR

LES gens qui s'efforcent sincèrement de suivre la voie spirituelle commettent souvent l'erreur d'être trop sévères envers eux-mêmes.

Leurs progrès ne sont pas aussi rapides qu'ils le voudraient, malheureusement, et parce qu'ils retombent dans certaines erreurs dont ils pensaient s'être débarrassés complètement, et qu'après des années d'enseignement spirituel, il leur arrive encore de s'enrhumer ou d'être l'objet d'un accident, ils sont découragés et se condamnent impitoyablement.

Tout cela est ridicule. Si vous vous servez de votre mieux de la Vérité que vous connaissez pour le moment, vous pouvez attendre de vous-même ce que vous pouvez légitimement espérer. Lorsqu'une de ces situations négatives se présente, prenez tranquillement conscience de la vérité la concernant, c'est-à-dire *traitez-la,* puis traitez votre sentiment de désappointement et de découragement en étant convaincu que votre prière suffira à rétablir l'ordre divin. Ne dramatisez pas, ne prenez pas la farouche résolution de tout changer. Ce serait faire appel à votre force de volonté et donner à votre problème beaucoup plus de gravité qu'il n'en avait à l'origine. Croyez en votre prière.

Ne vous impatientez pas à votre égard — cela n'implique pas que vous deviez vous laisser aller à la paresse ou à une indulgence coupable. Agissez envers vous-même comme le feraient des parents envers des enfants turbulents — faites preuve de bienveillance, de patience, de douce fermeté, sans vous attendre au maximum dans un minimum de temps, mais en prévoyant tout de même un développement et un progrès inévitables.

Certaines personnes, nous ne l'ignorons pas, se refusent à admettre leurs fautes et leurs échecs et cherchent à tout bout de champ des excuses — elles ne suivent certainement pas la voie spirituelle.

Ceux qui apprennent à connaître la Vérité adoptent une tout autre méthode. Souvenons-nous que nous nous devons la Charité chrétienne comme nous la devons à autrui.

L'ETUDE EST UNE CHOSE LE TRAITEMENT EN EST UNE AUTRE

L'ETUDE de la métaphysique est une chose, mais le traitement en est une autre, fort différente. Si l'on veut réussir, on ne peut appliquer à l'une les règles de l'autre. On confond souvent étude et traitement, c'est pourquoi on n'obtient aucune démonstration.

Quand vous étudiez — soit que vous lisiez un livre de métaphysique, que vous écoutiez une conférence ou méditiez sur la Vérité que vous connaissez — ayez l'esprit ouvert, mais faites preuve de sens critique, de sagesse ; n'acceptez rien comme allant de soi ; pesez et examinez, analysez autant qu'il vous plaira. Ne vous fiez pas à la parole d'un autre en quoi que ce soit, mais faites-en la preuve et attachez-vous à ce qui se justifie par la démonstration. « Vous les reconnaîtrez à leurs fruits ».

Quand vous appliquez un traitement, c'est la méthode absolument opposée qui est la bonne. Soyez alors dogmatique, insistant, arbitraire, sûr de vous et fermé mentalement à tout, sauf à la Vérité concernant votre problème. Vous guérissez par votre connaissance de la Vérité sur l'état que vous traitez et en vous refusant tranquillement à admettre la réalité de l'erreur, ne fût-ce qu'un instant. Vous ne devez montrer aucune tolérance à cet égard.

N'analysez pas l'état que vous voulez guérir ; ce serait lui accorder une attention qu'il ne mérite pas. Ne perdez pas de temps à examiner vos doutes. Pensez : « Dieu en moi est plus fort que tous mes doutes réunis ; je ne vais donc pas perdre de temps à y penser. La Vérité est vraie partout et en tout temps. La Vérité est donc vraie en ce qui concerne ce problème apparent... cela seul importe ».

Un moteur électrique peut avoir été conçu pour produire du courant en le faisant tourner mécaniquement ou pour accomplir un travail mécanique si on lui fournit du courant électrique. Vous pouvez de même vous servir de votre puissance mentale pour en apprendre davantage sur la Vérité ou vous servir de cette puissance mentale pour mettre en pratique la Vérité que, déjà, vous connaissez; mais ces deux opérations sont absolument différentes.

Dieu travaille toujours avec intelligence et discrimination.

L'OMNIPRESENCE

JE ne connais pas de désignation plus juste pour ce que nous nommons souvent métaphysique chrétienne, c'est-à-dire la religion enseignée par Jésus-Christ, que de l'appeler la Pratique de la Présence de Dieu.

Intelligemment compris, ce terme englobe tout. Mis intelligemment en pratique, c'est la clef de la santé, du bonheur, de la liberté et des progrès spirituels.

Tout ceci est d'une simplicité absolue et d'une puissance qui dépasse les conceptions humaines. Cette simplicité même fait que beaucoup s'en désintéressent. Pratiquer la présence de Dieu, c'est d'abord croire en Lui puis se rendre compte toujours davantage qu'Il est la seule puissance, et que tout ce dont nous avons conscience est une expression de Lui-même. Voilà tout. Ce n'est pas compliqué tout en n'étant, évidemment, pas facile, car nous avons à surmonter des habitudes de penser erronées que nous entretenons depuis le début de notre vie.

Il ne peut y avoir de prière meilleure et plus efficace que de s'asseoir tranquillement pour méditer sur cette vérité suprême qui comporte et englobe toute la Vérité.

Faites cela paisiblement, sans vous contracter, aussi souvent que vous le sentirez opportun, quand cela ne serait que quelques minutes à la fois. N'essayez pas d'améliorer une situation en ce faisant ; ce travail de guérison est réservé à d'autres moments. Réfléchissez simplement à cette Vérité que Dieu est la seule Présence et la seule Puissance. Pensez-y diligemment ; tournez et retournez ce sujet dans votre esprit en l'examinant sous des angles différents. Ne vous efforcez pas d'arriver à un résultat, mais pensez simplement à cette Vérité magnifique et aux conséquences qu'elle entraîne.

Prenez plaisir à revenir sur cette Vérité qui représente la nature même de Dieu pour l'intérêt qu'elle offre en elle-même, et vous en prendrez conscience sans que vous vous y attendiez. A mesure que le temps passera, vous en aurez de plus en plus clairement et fréquemment conscience. Vous constaterez alors que les circonstances extérieures s'améliorent d'une manière constante.

« Cherchez premièrement le royaume de Dieu et sa justice et toutes ces choses vous seront données par surcroît » (1).

---

(1) Matthieu 6 : 33.

LA DEMONSTRATION

IL est une loi spirituelle inflexible qui veut que tout ce que nous comprenons, nous l'exprimions ou le possédions, ou encore en fassions l'expérience ; or, cette loi ne comporte aucune exception.

Cette loi s'applique automatiquement sans que votre collaboration soit nécessaire ; d'autre part, si vous en aviez envie, vous ne pourriez contrecarrer ou même retarder son action.

Dès que vous avez acquis une claire compréhension de la Vérité spirituelle concernant une situation, une chose désirables, celles-ci apparaissent automatiquement dans votre vie. Evidemment, vous les verrez se manifester par des moyens normaux ou par un concours de circonstances toutes naturelles ; mais ces voies ne se seraient pas ouvertes, les conditions nécessaires ne se seraient pas produites, si vous n'aviez d'abord atteint à cette compréhension.

La solution de tout problème ne demande pas plus de temps qu'il n'en faut pour comprendre la vérité le concernant.

Dans l'Ancien Testament, il est dit aux Enfants d'Israël qu'ils pouvaient revendiquer toute terre occupée par eux ou sur laquelle

« ils avaient posé leur pied ». Dans la Bible, la terre représente toujours la manifestation; spirituellement, « le pied » symbolise la compréhension et en psychologie la concentration.

Cette compréhension indispensable doit évidemment s'acquérir par la prière et la méditation, qui sont elles « la montagne sainte ».

L'ATELIER MYSTERIEUX

PENDANT tout le temps où nous sommes éveillés, nous sommes occupés à édifier notre état de conscience. Ce travail est invisible, silencieux, c'est pourquoi il échappe à la majorité de l'humanité. Cependant, c'est dans la vie l'activité la plus fondamentale, celle qui a le plus de conséquences.

Sans même s'en douter, chacun forge continuellement son état de conscience. D'heure en heure, d'instant en instant, il construit dans sa vie, le bien ou le mal, l'échec ou la réussite, le bonheur ou la souffrance par les pensées et les idées qu'il entretient, les convictions auxquelles il s'attache, les faits et les événements qu'il se remémore — dans l'atelier mystérieux de son esprit.

Cet édifice qui se construit inévitablement, dont vous vous occupez sans cesse, n'est rien moins que votre Moi, votre personnalité, votre identité sur cette terre, l'histoire dont se compose votre vie sur le plan humain.

Si vous êtes sage, si vous êtes intelligent, si vous usez de votre bon sens, vous bâtissez, à la lumière de ce que vous savez, positivement, constructivement, c'est-à-dire *spirituellement*.

La conscience spirituelle, cet édifice prodigieux, est appelé dans la Bible le Temple de Salomon, et il nous est dit, à son sujet, deux choses extraordinaires. Il fut bâti en silence — sans aucun bruit (1), or nous savons que la pensée est silencieuse — et sur le roc (2). Le Roc, c'est la vérité christique de l'omniprésence et de la toute puissance de Dieu.

---

(1) I Rois 6 : 7.
(2) I Chroniques 3 : 1.

LE TRAITEMENT EST UNE OPERATION

On applique généralement le terme « traitement » à la prière faite en vue d'une certaine guérison ou de tout autre but particulier. Elle se distingue de la prière habituelle qui est, en réalité, une visite que l'on rend à Dieu.

Il faut vous souvenir qu'un traitement est un acte pratique, déterminé, ayant un but défini, un commencement et une fin précis. C'est, en réalité, une opération chirurgicale pratiquée sur l'âme.

Comme toute opération chirurgicale, elle doit être menée avec soin et méthode et dans des conditions d'asepsie absolue.

Imaginons que vous ayez décidé de traiter une certaine difficulté par la prière. Vous savez que cette difficulté, quelle qu'elle soit, est causée par une pensée ou un groupe de pensées négatives, empreintes de peur et logées dans votre subconscient. Vous savez aussi que si vous pouvez chasser ces pensées, vous obtiendrez la guérison que vous cherchez.

Vous vous tournez donc vers Dieu, et vous vous rappelez Sa bonté, Sa puissance infinie, Sa sollicitude à votre égard. A mesure que vous travaillez spirituellement, votre peur commence à se dissiper. Le souvenir de toutes ces vérités corrige, de même, les pensées erronées.

Lorsque vous vous sentez satisfait ou jugez que vous ne pouvez faire davantage pour le moment, vous remerciez Dieu de la guérison qui va — vous en êtes certain — se manifester, puis vous ne pensez plus à toute cette affaire jusqu'à ce que vous soyez poussé au bout d'un certain temps à recourir de nouveau au « traitement ».

Pendant l'application du traitement, refusez catégoriquement d'accorder une importance quelconque à votre difficulté ; n'admettez pas un instant que le rétablissement pourrait ne pas s'opérer. C'est en cela que consiste la stérilisation, l'antiseptie chirurgicale.

La prière faite habituellement peut se comparer aux aliments, à l'air pur, à l'exercice qui nous maintiennent en bonne santé tout en nous étant agréables par eux-mêmes. Mais le *traitement est une opération chirurgicale.*

« Il envoya sa parole et les guérit » (1).

(1) Psaume 107 : 20.

QU'EST-CE QUE « CHERCHER LE ROYAUME » ?

« Cherchez premièrement le royaume et la justice de Dieu, et toutes ces choses vous seront données par surcroît ».

LE principe que Jésus exprime par ces paroles est la loi fondamentale sur laquelle repose toute démonstration, c'est-à-dire la réponse à toute prière, car c'est prendre conscience que Dieu guérit.

Beaucoup savent cela en théorie, mais la pratique les désoriente. Sans s'en rendre compte tout à fait, ils pensent souvent : « Je veux ignorer ce qui me préoccupe et penser à Dieu à la place ». Ils commettent là une erreur subtile. En effet, ils pensent à leur problème comme s'il existait réellement quelque part et Dieu ailleurs, tandis qu'eux-mêmes font la navette entre ces deux lieux opposés.

Ceci équivaut naturellement à réaffirmer que leur problème existe en un lieu déterminé et ce n'est pas cette conviction qui y remédiera.

Ce que nous devons faire, c'est « *chercher le royaume, à l'endroit même où la difficulté semble se situer*. Il faut que nous sachions qu'en réalité, selon la Vérité, elle n'est pas là puisque Dieu y est. Voilà le pas difficile à franchir ! Quand nous avons réussi à le faire, ce ce qui nous préoccupait disparaît.

ADORER C'EST VAINCRE

DIEU est plus fort que n'importe quelle épreuve.

Dieu en vous est plus grand qu'aucune des difficultés que vous pouvez avoir personnellement à affronter.

Dieu tient à vous plus qu'il n'est possible à un être humain d'en avoir conscience.

Dieu peut vous aider dans la mesure où vous l'adorez. Vous adorez Dieu en mettant réellement votre confiance en Lui au lieu de croire en des faits extérieurs, en la peur, en la stagnation des affaires ou en des dangers apparents.

Vous adorez Dieu en reconnaissant Sa présence en tout lieu, en chacun, en toute circonstance et en priant avec régularité.

Vous niez Dieu quand vous permettez à la peur de vous influencer, lorsque vous vous imaginez qu'il y a des limites inévitables, que vous vous laissez aller aux ressentiments, que vous condamnez autrui ou en voulez à quelqu'un.

Vous priez bien lorsque vous priez avec joie, sans effort parce que vous croyez que Dieu prie en vous et par vous et que vous vous attendez réellement à être exaucé — selon les voies de Dieu.

EST-CE EGOISTE ?

EST-CE égoïste de prier pour soi-même ? Certains le croient et déclarent que nous ne devons prier que pour les autres, mais cette idée est ridicule, naturellement.

Vous devez prier constamment pour vous-même. En fait, vous devez passer plus de temps à prier pour vous que pour tout autre objet.

Comment pourrait-il en être autrement ? Nous adorons Dieu en croyant en Lui, en ayant foi en Lui, en L'aimant de tout notre cœur — nous ne pouvons y arriver que par la prière.

La seule raison de notre présence ici-bas, c'est de nous développer afin de Lui ressembler — nous ne le pouvons que par la prière.

Il nous est impossible de progresser spirituellement à moins que nous ne nous efforcions de vivre selon le Christ — nous ne le pouvons que grâce à la prière.

Les progrès spirituels restent forcément lents tant que nous sommes soucieux, effrayés, vindicatifs, malades, découragés — tous ces états ne peuvent être vaincus que par la prière.

C'est un devoir et une joie d'aider autrui avec sagesse et de laisser le monde un peu meilleur que nous l'avons trouvé — cela ne nous est possible que par la prière.

Plus nous prions pour nous-mêmes, plus notre prière a d'efficacité pour toutes choses. Nous voyons donc que prier pour soi-même est le contraire de l'égoïsme — c'est glorifier vraiment Dieu !

MATERIALISEZ VOTRE VISION SPIRITUELLE

LE salut de l'individu pourrait se résumer comme suit : premièrement la vision spirituelle, puis la matérialisation de cette vision.

En réalité, que signifie, dans ce cas « vision spirituelle » ? S'agit-il de quelque expérience mystique extraordinaire semblable à celles dont parlent les prophètes de la Bible ? Certainement pas. Si pareille chose était nécessaire, l'humanité dans son ensemble n'aurait aucune chance de salut.

Votre vision est spirituelle, toutes les fois que vous éprouvez le désir d'être meilleur chrétien, de mieux connaître Dieu, de guérir votre corps ou de résoudre une difficulté par la prière.

Vous désirez être meilleur et plus grand que votre moi actuel et vous croyez que la prière peut vous y amener ; ou bien, vous souhaitez triompher d'un ennui, vous affranchir d'une limite quelconque et vous croyez que cela vous est possible en priant. Voilà ce qu'est la vision spirituelle.

C'est la conviction que Dieu sauve et guérit. Et maintenant, ayant contemplé la vision, il faut aller plus loin ; il faut la concrétiser — la rendre effective dans votre vie.

Vous y arriverez en réorganisant votre vie — vos pensées, vos paroles, vos actions — afin qu'elles soient en harmonie avec ce que vous savez être la Loi de Dieu. C'est cela la Pratique de la Présence de Dieu dont nous parlons si souvent, et dont les résultats sont infaillibles.

LA TENSION MENTALE N'EST PAS LA PRIERE

ESPEREZ plus de vos prières que vous ne le faites peut-être habituellement. L'efficacité de votre prière dépend de la foi que vous avez en elle. « Si ma prière ne fait pas de bien, du moins ne fera-t-elle pas de mal ». Prier dans cet esprit n'est pas prier du tout.

Les longues séances de prière sont généralement une erreur. Ayez assez de foi en l'amour de Dieu pour croire qu'une courte prière faite de tout votre cœur, en vaut une longue — ce qui, du reste est vrai. Il est évident que vous pouvez répéter cette courte prière à certains intervalles.

Une trop longue séance implique généralement qu'en votre cœur, vous doutez réellement de l'amour de Dieu, et croyez que beaucoup d'efforts et de peine sont nécessaires pour L'émouvoir. C'est, en réalité, une manière subtile d'utiliser sa force de volonté.

On entend dire parfois : « J'ai prié longtemps et de toutes mes forces tant je désirais élever mon état de conscience ». Aucun but n'a évidemment plus d'importance que celuici et, si on pouvait l'atteindre de cette manière, on aurait raison d'agir de la sorte — mais ce n'est pas le cas.

Votre état de conscience n'en est pas élevé le moins du monde. Cela vous fatigue et vous décourage. Vous essayez d'obtenir à toute force une réalisation immédiate, or cette façon de faire est condamnée à l'échec.

Priez tranquillement et sincèrement pendant un laps de temps raisonnable, puis cessez et attendez-vous à être exaucé. Faites quelque chose de tout à fait différent. Lisez une revue ou un livre intéressant, occupez-vous de vos affaires, allez vous coucher si c'est le moment: une démonstration magnifique se produira en son temps.

L'OR, L'ARGENT, L'IVOIRE, LES SINGES ET LES PAONS

NOUS savons que ce que l'on désigne dans la Bible sous le nom de Temple de Salomon n'est autre que la conscience spirituelle que nous nous efforçons d'édifier. Salomon signifie littéralement paisible, et dans la Bible, ce nom symbolise la sagesse. C'est logique, car la paix de l'esprit est la base de toute construction spirituelle, de tout bonheur, de toute réussite durable dans n'importe quel domaine. En vérité, la paix de l'esprit pourrait être appelée la garantie de la compréhension. « Recherchez et poursuivez la paix » est sagesse suprême puisque la paix sauvegarde la construction du temple.

La Bible dit que cinq choses se trouvaient autour du temple : *l'or et l'argent, l'ivoire, des singes et des paons*. C'est ainsi que l'Ecriture désigne les cinq tentations qui peuvent assaillir l'âme s'efforçant de se libérer pour construire le temple spirituel. La forme particulière que prend chacune de ces tentations varie naturellement, selon le tempérament de chacun et les circonstances de sa vie, mais en principe, elles sont les mêmes pour tous.

L'*or* vient en tête de cette énumération, il représente le désir de dominer les autres, de régir leur vie, de les soumettre à une certaine discipline (la nôtre naturellement) et même de se servir d'eux. Bien des gens, suivant la voie spirituelle, ont cédé à cette tentation. Il faut qu'ils exercent leur domination sur l'âme des autres. Ils prétendent que c'est pour le bien de leurs victimes, mais en réalité, cela prouve un désir ardent de pouvoir personnel et de renommée. Ce n'est point un péché ignoble comme celui qui est en relation avec l'argent, mais justement, c'est un péché mortel bien plus dangereux, car il a beaucoup plus de conséquences. On le désigne ailleurs, dans la Bible, sous le nom « de la femme rouge de Babylone ».

La signification réelle de l'or, ce qu'il symbolise quand on en comprend le vrai sens, c'est l'omnipotence de Dieu, sa proximité continuelle. Il est évident que la tyrannie religieuse en est l'opposé. Nous devons faire tout ce que nous pouvons pour aider, éclairer, inspirer les autres dans la mesure où notre compréhension le permet, mais jamais nous ne devons contraindre leur âme, dicter leurs convictions, les accaparer pour notre bénéfice ou celui de nos opinions. La tyrannie religieuse si elle est un poison pour les victimes, est, par ailleurs, absolument mortelle pour le tyran.

Passons maintenant à *l'argent*. Il symbolise la cupidité, l'amour des biens matériels que l'argent peut procurer et même des richesses en elles-mêmes. Il est possible aussi que celui qui commet ce péché ne s'intéresse pas aux richesses. Ce qu'il souhaite, c'est occuper une position honorifique importante, qui le mette en vue. Il veut être quelqu'un afin de recevoir adulations et applaudissements.

Souvent, il aspire à être un chef, non parce qu'il a un message à apporter — en l'occurrence ce n'est jamais le cas — mais pour en imposer et se faire remarquer. Il est semblable à la jeune fille qui voudrait devenir une prima dona, non parce qu'elle a une belle voix dont elle serait heureuse de se servir, et qu'elle est prête à travailler dur dans ce but, mais simplement pour qu'on parle d'elle dans les journaux et qu'on la comble de fleurs et d'applaudissements.

Cet homme-là ne tient pas au pouvoir. Il n'est pas assez profond pour succomber à ce péché. Les apparences du pouvoir et de la distinction lui suffisent. Il est la victime de sa vanité et de son égoïsme.

N'en doutez pas, il adore le monde au lieu de Dieu et ce qui en résulte tout naturellement, saute aux yeux. Ce péché est bas et ignoble ; il est rapidement décelé même par les gens les plus superficiels, c'est pourquoi il n'est pas très dangereux pour le coupable lui-même. Il constitue, en effet, une barrière infranchissable sur la voie spirituelle, tant qu'il n'est pas reconnu et écarté.

Voyons maintenant l'ivoire. Il représente l'attachement exagéré qu'on porte à un maître en particulier, à un certain manuel, une certaine église, à une secte quelconque. Cette loyauté est déplacée. C'est une erreur où l'égoïsme n'est point en cause, mais qui n'en est pas moins mortelle. N'importe quel maître, n'importe quel écrivain, si éminents soient-ils, toute église et tout centre spirituel, si appréciés soient-ils — ne sont que des moyens pour atteindre un but — ce but, c'est le développement spirituel.

Beaucoup d'étudiants en métaphysique trouvent un grand secours auprès d'un maître ou dans une église particulière ; ils font de rapides progrès pendant quelque temps. Puis, ils s'aperçoivent qu'ils ont dépassé leur maître et pourraient trouver ailleurs une aide plus efficace, cependant, ils s'y refusent par un sentiment erroné de loyauté.

Vous ne devez aucune loyauté à quelqu'un ni à quoique ce soit, si ce n'est à votre âme — et ce sentiment-là est le plus sacré de tous. Reconnaissez avec gratitude toute l'aide que vous avez reçue d'une source quelconque, mais souvenez-vous que vous ne devez être fidèle qu'à Dieu : ce qui doit se traduire par vos progrès spirituels. Vous devez vous sentir libre d'aller n'importe quand, partout où vous trouverez l'aide la plus efficace, en dépit des considérations personnelles. Agir autrement, c'est commettre le péché contre le Saint-Esprit.

Le *singe* représente les tentations physiques, telles que la sensualité, la tendance à boire, à se droguer, etc... Ces choses sont tellement manifestes que celui qui en est la victime ne peut se faire d'illusions ; il sait du moins à quoi s'en tenir. Il peut en triompher naturellement par la prière.

Les *paons* figurent la vanité. Elle peut prendre la forme de l'orgueil intellectuel, de l'idée ridicule qu'un petit groupe ignoré n'a rien à apporter qui en vaille la peine ; ce peut être le désir de se mêler à ce qui est consacré par la mode ou les puissants du jour, même si cela constitue une erreur. Le paon comprend aussi l'orgueil spirituel qui affecte cependant même ceux qui sont réellement dans la Vérité — cette forme de la vanité est la pire de toutes.

LA PRIERE RESOUT TOUS LES PROBLEMES

PRIER est toujours l'unique solution. Quelle que soit la difficulté que vous affrontiez, si compliqué que semble votre problème, la prière peut résoudre toutes les questions et rétablir admirablement n'importe quelle situation. Il est évident que de votre côté, vous devez faire tout ce qui paraît s'imposer pratiquement ; mais si vous ne savez quelle décision prendre, la prière vous l'indiquera.

Elle fera surgir dans votre vie tout ce qui vous est bon, selon ses moyens propres et ses méthodes à elle. La prière obtient constamment des résultats qui semblaient impossibles ; il n'est aucun problème au monde qu'elle n'ait résolu à un moment donné.

Si l'on se souvient que Dieu est réellement omnipotent et n'est point entravé par ce que nous nommons le temps, l'espace, la matière ou l'instabilité de la nature humaine, on comprend facilement qu'il ne saurait y avoir de limite à la puissance de la prière.

Même si vous êtes très affecté par certaines circonstances, ne soyez pas tenté de vous dire : « Il est inutile que je prie à ce sujet, vu que j'ai décidé d'agir, en tout cas, de telle et telle manière, demain ». Priez néanmoins, et quand arrivera le lendemain, vous aurez toujours la faculté d'agir comme vous l'entendez. Mais, il se peut qu'après avoir prié, vos idées soient meilleures. Vous pouvez prier au sujet d'une difficulté, et la résoudre à n'importe quel moment. Il est évident, naturellement, que plus vite vous vous y mettrez, plus facile sera votre travail spirituel.

LA BASE SPIRITUELLE

On s'appuie sur une base spirituelle ou non ; il n'y a pas de demi mesure à cet égard.

Vous avez une base spirituelle :

Si, d'une manière catégorique, vous donnez à Dieu tout pouvoir et n'en reconnaissez aucun aux circonstances existantes.

Si vous refusez d'accorder du pouvoir à l'erreur en ayant peur d'elle.

Si vous croyez réellement que la prière peut tout et qu'elle est efficace.

Si vous êtes vraiment certain que votre bonheur et votre bien-être ont, aux yeux de Dieu, une importance vitale. Si vous comprenez que toutes les idées et les convictions que vous admettez ont *nécessairement* une répercussion dans votre corps, votre entourage, votre famille et votre activité.

Si vous vous efforcez de voir partout la Présence de Dieu.

Si vous vous rendez compte qu'en définitive, vous n'avez à affronter que vos pensées.

Si, enfin, vous comprenez que vous appartenez à un univers mental, que les pensées sont des entités, que le déroulement de votre vie est fondamentalement l'expression de ce que vous croyez sur Dieu.

QUAND DIEU N'AGIT PAS

NOUS croyons tous que l'amour de Dieu est invincible. Nous croyons tous que Son intelligence, Son savoir et Sa puissance sont infinis. Nous sommes tous certains aussi que Dieu tient à nous à un degré que nous ne pouvons imaginer et qu'à Ses yeux nous sommes tous également précieux. Nous sommes convaincus de tout cela et cependant il y a de nombreux cas où nous ne pouvons obtenir la manifestation de la guérison et de l'harmonie. Pourquoi ?

C'est, le plus souvent, parce que nous avons oublié que nous devons incarner toutes ces conditions avant qu'elles ne se manifestent dans notre vie.

Savoir qu'elles existent en Dieu ne suffit pas. Nous devons chercher à les exprimer dans notre vie personnelle avant qu'elles puissent agir en notre faveur.

L'Amour divin est tout puissant pour nous guérir et nous secourir, dans la mesure où nous l'exprimons dans nos pensées, nos paroles et nos actes. La sagesse divine peut nous guider dans la mesure où nous prions pour être dirigés, où nous sommes préparés à obéir loyalement à la volonté de Dieu et nous efforçons de vivre la vie du Christ. La puissance divine a tout pouvoir dans notre vie selon la foi que nous avons en elle.

La seule manière de connaître Dieu est de chercher à L'exprimer dans notre vie.

UNE VIE CONSACREE

EN quoi consiste une vie consacrée ?

Votre vie est consacrée quand, à tout instant, vous êtes prêt à faire la volonté de Dieu — quand vous désirez et voulez que Dieu se manifeste pleinement par votre intermédiaire, vos pensées, vos paroles, vos actions, et cela à toute heure du jour.

Si vous vous efforcez sincèrement de vivre de la sorte, vous avez consacré votre vie à Dieu, et vous ne pouvez faire plus.

Ne vous inquiétez pas des résultats. Ceux-ci appartiennent à Dieu.

Que vous fassiez quelque chose de remarquable ou même de magnifique sur le plan visible, ou que votre activité semble insignifiante, importe peu. Vous consacrez votre vie à Dieu, et vous ne pouvez accomplir une œuvre plus grande, plus belle, plus haute que celle-ci.

« Me voilà ; envoie-moi » (1).

(1) Esaïe 6 : 8.

PAS DE MARTEAU-PILON POUR TUER LES MOUCHES

N'EMPLOYEZ pas de marteau-pilon pour tuer les mouches. Cette façon de procéder est brutale et onéreuse. Un marteau-pilon coûte cher et occupe beaucoup de place. En fait, son installation et sa manœuvre prendraient tout votre temps. D'autre part, il faudrait que vous attrapiez les mouches une à une pour les placer sous le marteau pendant qu'il fonctionne.

Il est infiniment plus pratique que vous achetiez une tapette à mouche au bazar et que vous visiez la mouche quand elle apparaît. Voilà qui est simple et prend un minimum de temps.

Tout ceci, naturellement, n'est qu'une manière de dire que beaucoup de gens ont une tendance malheureuse à faire les choses de la manière la plus difficile, alors qu'il en est une commode et facile. Ils passent la moitié de la journée à s'agiter de ci, de là, pour faire quelque chose qu'un autre accomplirait tranquillement en une demi-heure ou moins, en agissant d'une manière intelligente. Ils écrivent et récrivent la même lettre une douzaine de fois, quand cinquante mots sur une carte, ou une communication téléphonique de cinq minutes réglerait l'affaire aisément. Ils vont de Paris à Meudon en passant par l'Amérique et la Chine. Comme dans la fable, ils brûlent la maison pour faire un rôti de porc.

Habituez-vous à faire les choses immédiatement, simplement avec le moins d'embarras possible, surtout en ce qui concerne votre vie spirituelle.

Quand vous priez, arrivez au point essentiel. Ne tournez pas autour du problème, mais attaquez-le sans hésiter. Sachez la Vérité à son égard sans perdre de temps en préliminaires.

En d'autres termes, n'employez pas un marteau-pilon pour tuer les mouches.

POURQUOI CELA M'ARRIVE-T-IL A MOI ?

QUAND survient une difficulté, on se demande parfois : « Qu'ai-je fait pour mériter cela ? Pourquoi pareille chose m'arrive-t-elle ? Je n'ai pas l'impression d'avoir fait quelque chose de mal ».

Voilà la réponse à ces questions. Les événements sont la résultante de la totalité de ce que nous croyons. Sans nous en douter, nous avons beaucoup d'opinions et d'idées enfouies dans notre subconscient, sans compter certaines choses lues ou entendues dans notre enfance et depuis lors. Par ailleurs, les croyances et les tendances que nous avons apportées en naissant demeurent en nous et ont le pouvoir d'influencer notre vie.

Nous sommes tous, plus ou moins, logés à la même enseigne. Or, quand ces idées cachées se manifestent sous forme de tribulations, cela signifie que le moment est venu de les chasser en triomphant de notre difficulté quelle qu'elle soit, par la prière et un sage comportement.

La prière habituelle que vous faites quotidiennement, vos méditations, vos lectures spirituelles effectuent continuellement cette œuvre de purification.

Bien souvent vos difficultés ont pour origine non quelque élément appartenant au passé, mais une erreur que vous êtes en train de commettre au moment même. Ce n'est probablement pas quelque chose considéré généralement comme une faute — mais, par exemple, il se peut que vous vous surmeniez (ce qui est faire appel à la force de volonté), que vous négligiez les règles élémentaires de l'hygiène, ou réduisiez le temps consacré à votre prière, sous prétexte que vous êtes « trop occupé ».

Trop occupé pour consacrer du temps à Dieu !

Faites un bref inventaire et, si le point faible ne vous apparaît pas, demandez à Dieu de vous le montrer.

Il tient à vous ! Il vous aime !

PRIER PUIS AGIR SAGEMENT

QUAND on résout un problème par la prière, il est généralement nécessaire de prendre en même temps certaines mesures d'ordre pratique. L'action sage doit s'ajouter à la prière. Priez pour ce qui vous préoccupe, mais demandez aussi la direction divine, puis prenez les mesures que vous dicte votre bon sens. Nous ne nous souviendrons jamais assez que ce que nous appelons le sens commun est en soi une expression de la sagesse divine. Il est ridicule de demander de l'aide en priant, tout en négligeant les moyens évidents et commodes qui s'offrent à nous.

Beaucoup de personnes semblent croire que le fait de prendre une mesure matérielle quelconque prouve un manque de foi en Dieu et amoindrit l'efficacité de la prière. Elles se demandent si ce n'est point essayer de servir deux maîtres à la fois.

En l'occurrence, c'est tout à fait le contraire. Nous savons tous que l'action n'est que la matérialisation de la pensée, et qu'une action judicieuse est l'expression d'une pensée sage, conforme à la Vérité. Agir sagement prouve que l'on a pensé d'une manière juste et, en somme, cela fait partie de la prière elle-même.

Nous devons apprendre à voir Dieu dans nos paroles et nos gestes, aussi bien que dans nos pensées.

L'OUTIL INUTILE

COMMENT progresser rapidement dans la connaissance de la Vérité ? Quel est le meilleur moyen de se développer spirituellement ? Comment acquérir le pouvoir par la prière ?

Voici la réponse à ces trois questions : Servez-vous de toute la compréhension que vous avez au moment présent pour surmonter vos difficultés actuelles quelles qu'elles soient.

Comment arriver à mieux connaître Dieu ? Comment Le connaître ? La réponse est identique. Usez de la compréhension que vous avez pour le moment pour résoudre vos questions d'ordre pratique. Tout problème résolu par la prière, toute difficulté dont on triomphe par un traitement spirituel, vous enseigne à mieux connaître Dieu, et développe votre nature spirituelle plus rapidement que tout ce que vous pourriez faire d'autre. Une difficulté vaincue de la sorte vous en apprend davantage que le meilleur des maîtres ou le plus remarquable des livres.

Les gens demandent souvent : « Comment puis-je apprendre à aimer Dieu ? » La réponse ne varie pas. Surmontez une difficulté —

grande ou petite — par la prière, et vous éprouverez un sentiment de gratitude et de joie qui est, en réalité, de l'amour pour Dieu et, quand cet amour aura commencé à se manifester, il grandira tellement qu'il finira par dominer toute votre vie.

A quoi bon étudier les principes de la Vérité, lire des livres, suivre des conférences, si vous ne mettez pas en pratique ce que vous apprenez. Si étrange que cela paraisse, il arrive pourtant que certaines personnes étudient la métaphysique pendant des années et n'ont jamais essayé de la mettre une seule fois en pratique. Rien d'étonnant à ce qu'elles ne fassent pas de progrès dans le domaine positif. En pareil cas, l'équilibre entre « recevoir » et « rendre », qui est essentiel pour tout ce qui vit, est rompu. L'outil qu'elles possèdent est parfaitement inutile.

Dieu ne nous accorde pas davantage, à moins que nous nous servions de ce que nous avons déjà.

ENTRE LES MAINS DE DIEU

On entend certaines personnes dire, parfois : « Je remets ce qui me tourmente entre les mains de Dieu ». Voilà qui est parfait ! Surtout quand aucune autre solution n'apparaît à l'horizon.

Faites attention, cependant, de ne pas vous méprendre sur le sens de cette phrase. « Remettre une chose entre les mains de Dieu ne signifie pas simplement la Lui confier puis n'y plus penser ou, ce qui serait pire, se permettre d'y penser de temps à autre d'une manière négative.

Cela veut dire que chaque fois que le sujet vous revient à l'esprit, vous devez affirmer que Dieu est en train de résoudre la difficulté selon Ses voies parfaites et que tout ira bien. Si vous suivez cette ligne de conduite, la démonstration s'opérera tôt ou tard.

Quand on plante un oignon de tulipe, on cherche un endroit propice dont le sol lui conviendra, lui offrira assez d'humidité et où, plus tard, la plante trouvera du soleil. C'est là, travailler en harmonie avec les lois de la nature.

Jeter le bulbe dans un tiroir et l'oublier est tout à fait différent. Ce n'est pas le confier à la nature, bien au contraire. La première manière de faire est créatrice, l'autre, non.

Il en est de même pour vos difficultés. Les remettre entre les mains de Dieu, c'est agir d'une façon spirituelle, vivante et créatrice.

« Arrêtez-vous et sachez que je suis Dieu » (1).

---

(1) Psaume 46 : 10.

NOMS NOUVEAUX POUR CHOSES ANCIENNES

LA psychologie moderne a fait du bon travail en éclairant d'une manière nouvelle de nombreux aspects de l'esprit humain, nous aidant de la sorte à mieux nous comprendre. Il est évident que cela ne peut supplanter la prière, mais cela a cependant son utilité.

Il faut que nous sachions comment fonctionne l'esprit humain afin de pouvoir le libérer. Cependant souvenons-nous que nous avons toujours su beaucoup de choses à son sujet, en général ; ne nous laissons donc pas intimider ou désorienter par la terminologie moderne de la psychologie.

La plupart du temps, on s'est contenté de donner à de vieilles notions, des noms nouveaux. Ces termes sont souvent plus précis, plus instructifs, mais se rapportent à des choses que nous avons toujours sues.

Par exemple, nous savons depuis toujours, qu'en un temps donné, nous ne sommes conscients que d'un certain nombre d'idées ayant trait à ce que nous faisons ou pensons à ce moment-là. C'est ce que le psychologue appelle « l'esprit conscient » ou le conscient.

Nous nous sommes toujours rendu compte

que nous connaissions une quantité de choses auxquelles nous ne pensons pas à un moment donné. Nous avons même oublié certaines d'entre elles qui peuvent nous revenir à l'occasion d'un incident fortuit. C'est ce qu'on désigne en psychologie du terme de « subconscient » ou inconscient. Nous n'ignorons pas que nous avons tendance à nous illusionner en pensant que nous agissons pour tel ou tel motif, alors que nous sommes poussés par un mobile totalement différent ; cela s'appelle raisonner d'une manière spécieuse.

Nous savons depuis toujours à quel point la nature humaine s'ingénie à inventer des plans injustifiés pour échapper à un devoir désagréable ou éviter d'affronter un fait déplaisant — cela se nomme « mécanisme d'évasion ».

Il en est de même pour beaucoup de termes techniques appartenant à la psychologie d'aujourd'hui. Ce qui est essentiel, c'est de nous assurer, quand nous les employons, qu'ils sont nos serviteurs et non nos maîtres.

Une seule chose a de l'importance : c'est acquérir une connaissance plus approfondie de Dieu et de nous-mêmes. Toute étude, tout événement qui y contribue sont précieux.

Attache-toi donc à Dieu et tu auras la paix (1).

---

(1) Job 22 : 23.

CE QU'IL FAUT FAIRE

Si un problème nouveau se pose...
Revenez aux principes de base.

Si un problème ancien reste sans solution...
Revenez aux principes de base.

Si vous êtes désorienté par les événements...
Revenez aux principes de base.

Si vous êtes déprimé et découragé...
Revenez aux principes de base.

Si vous êtes agité ou effrayé...
Revenez aux principes de base.

Si quelqu'un vous ennuie...
Revenez aux principes de base.

Si vous désirez progresser plus rapidement que vous ne semblez l'avoir fait jusqu'à maintenant...
Revenez aux principes de base.

LA PRIERE PEUT TOUT

QUELLE que soit la question qui se pose, la prière peut la résoudre. Quel que soit votre fardeau, la prière peut vous l'ôter. Tout ce qui vous manque pour que votre vie soit parfaite, la prière peut vous le donner.

Souvenez-vous que vous priez chaque fois que vous pensez à Dieu — que vous appeliez cela prier ou non. Vous priez toutes les fois que vous lisez la Bible ou un autre livre spirituel. Vous priez de même quand vous méditez ou que vous proclamez que Dieu pense, agit, ou parle par votre intermédiaire.

Vous constaterez que chaque fois que vous suivez cette ligne de conduite, vous êtes victorieux et vous vous approchez plus près de Dieu. Vous spiritualisez votre nature ; vous purifiez à fond votre subconscient, selon l'expression actuelle.

On nous demande souvent quelle est la meilleure méthode pour libérer le subconscient, pour se débarrasser de la peur et des éléments négatifs qu'il renferme. La réponse ne varie pas : *priez.*

Faire face à toute difficulté à mesure qu'elle se présente par la prière, se réjouir de savoir que la Pratique de la Présence de Dieu est le salut suprême, voilà le meilleur moyen de libérer le subconscient. C'est de beaucoup le traitement psychiatrique, le meilleur et le plus efficace.

BONTE ET VERITE

« LA bonté et la vérité se rencontrent, la justice et la paix s'embrassent ».

Ce verset énonce une grande loi spirituelle : la bonté et la vérité vont de pair. Cela signifie, naturellement, qu'en présence d'une difficulté notre salut consiste à connaître la Vérité qui la concerne. Quand nous prenons conscience de la Vérité, si peu que ce soit, la guérison commence à s'opérer et c'est la bonté dont nous bénéficions. La Vérité opère la guérison, de ce fait, elle est aussi miséricorde.

La seconde partie du verset, usant de la forme symbolique propre à l'orient, ajoute : « La *justice* et la *paix* s'embrassent ». La justice, nous le savons déjà, signifie en réalité une manière de penser juste. Nous apprenons donc qu'une pensée conforme à la Vérité amène la paix, et que l'une accompagne l'autre. La paix de l'esprit est le premier, le plus grand des dons que l'être humain puisse recevoir ; il ne peut en bénéficier qu'en prenant conscience de la Vérité.

La paix de l'esprit n'est pas seulement en elle-même la plus grande des bénédictions, mais elle suscite en outre, dans notre vie, des bien-

faits, nombreux. Par exemple, la paix de l'esprit libère l'énergie prisonnière du subconscient et nous permet d'accomplir différentes choses qui autrement nous sembleraient impossibles. Elle guérit le corps, permet aux idées nouvelles d'affluer de l'Intelligence divine, en nous ; en vérité c'est la pierre de touche de la compréhension.

L'INATTENDU DIVIN

QUAND on se place au point de vue humain, ce qu'il y a de plus extraordinaire à l'égard de Dieu c'est l'inattendu.

Lorsque nous prions, selon la méthode spirituelle, en laissant à Dieu le choix de la solution et en désirant seulement que s'accomplisse Sa volonté — parce que nous sommes certains que celle-ci est toujours bonne et joyeuse — nous savons qu'il sera répondu à notre prière, mais nous ignorons comment.

Dieu exauce les prières de la manière la plus imprévue et c'est cela qui est si plaisant. Quand nous prions, nous avons généralement l'impression que la démonstration va se produire d'une manière frappante — or, attention ! voilà qu'elle surgit de la façon la plus surprenante et la plus agréable. On dirait, parfois, qu'humainement, il n'y a aucun moyen de résoudre le problème ; pourtant celui-ci trouve sa solution d'une manière extraordinaire et bouleversante.

Dieu agit en dehors de toutes conventions, pourrait-on dire. Si nous avons une foi sereine en notre prière, si sans nous agiter, sans tension nerveuse, nous laissons à Dieu la manière et les moyens de nous exaucer — tout en étant certains que la démonstration va s'en suivre — elle s'effectuera en effet, et le résultat dépassera toujours nos espérances.

« Fais de l'Eternel tes délices et il te donnera ce que ton cœur désire (1).

---

(1) Psaume 37 : 4.

UN LIVRE ETONNANT

QUEL est de beaucoup le plus grand de tous les livres ? — La Bible.

Quel est le livre le plus répandu, celui qui, de tout temps, s'est le mieux vendu ? — La Bible.

Quel est le livre le plus apprécié ? — La Bible.

De tous les livres, quel est celui qui a été le plus haï (par une infime minorité qui ne le comprenait pas) ? — La Bible.

Quel est le livre qui suscite l'intérêt le plus passionné ? — La Bible.

Quel est le meilleur, le plus clair, le plus utile de tous les ouvrages de psychologie ? — La Bible.

Quel est le manuel de métaphysique le plus simple, le plus profitable ? — La Bible.

Quel livre contient les plus belles histoires ? — La Bible.

Dans quel livre trouve-t-on les plus admirables, les plus grandioses poèmes du monde ? — Dans la Bible.

Quel est le livre où se trouvent les biographies les mieux écrites, les plus instructives, les plus édifiantes du monde ? — La Bible.

Existe-t-il un raccourci pour accéder à la vie spirituelle ? — Oui, la Bible.

Quel est le seul livre que personne, où que ce soit, ne peut se permettre de négliger ? — La Bible.

CE QUE VOUS CROYEZ

A mesure que s'écoule notre vie, nous sommes constamment exposés aux suggestions négatives. Des gens bien intentionnés nous en offrent dans la conversation. Nous en entendons ou en surprenons en société, dans les réunions d'affaires, etc... ; nous en découvrons dans les journaux et les propos de la radio. Cela préoccupe beaucoup certaines personnes qui désireraient presque s'enfermer dans une tour d'ivoire où rien de négatif ne pourrait pénétrer.

Il est évident que cette idée est absolument erronée. Nous sommes en ce monde, justement pour apprendre à résoudre ce problème particulier et ce serait une faute capitale de le fuir, même si cela nous était possible. Nous sommes ici-bas pour apprendre la leçon suivante : Le mal n'a aucun pouvoir, si ce n'est celui que nous lui donnons en y croyant. Aucune pensée négative, aucune suggestion erronée ne peut nous causer le moindre mal, à moins que nous ne *l'acceptions*. Souvenez-vous que recevoir une suggestion négative et *l'accepter* sont deux choses absolument différentes. A moins que vous *n'acceptiez* une idée, elle n'existe pas en ce qui vous concerne, car elle est sans effet dans votre vie.

Ceci, naturellement, est tout aussi vrai pour les idées saines, positives que pour les idées fausses. Si vous *n'acceptez* pas une idée conforme au bien et à la Vérité ; elle ne saurait vous influencer ? Pendant des siècles, les gens ont lu dans les Ecritures que Dieu est amour, que la foi transporte les montagnes, ils n'en ont pas été moins effrayés et déconcertés — parce qu'ils n'ont pas *accepté* réellement ces idées, tout en les approuvant formellement par respect pour la Bible.

Une question vitale se pose maintenant : Qu'entend-on par *accepter* une idée ? *Comment* l'accepte-t-on ? C'est bien simple. *Accepter* une idée, c'est y *croire*, voilà tout.

Si vous ajoutez foi à une suggestion négative, elle vous nuit dans la mesure où vous y croyez. Si vous n'y croyez pas, elle ne peut vous faire de mal. Si vous entendez dire, par exemple, que Chicago est dans le Texas, vous ne le croyez pas. Quand vous écrivez à vos amis dans cette ville, votre adresse est libellée correctement et votre lettre ne s'égare pas. Il en est de même pour les idées positives.

L'Evangile vous apporte la Bonne Nouvelle, mais il ne peut vous aider que si vous l'acceptez, c'est-à-dire si vous avez foi en lui — et, naturellement, si c'est le cas, vous vous efforcez de le mettre en pratique dans votre vie.

« Attache-toi donc à Dieu et tu auras la paix ; tu jouiras ainsi du bonheur » (1).

(1) Job 22 : 21.

MA MONTAGNE SAINTE

Il ne se fera ni tort ni dommage sur ma montagne sainte.

Esaïe 11 : 9.

DIEU a promis que n'importe lequel d'entre nous, à condition de le désirer sincèrement et sérieusement, peut avoir la paix de l'esprit, l'équilibre, la sécurité, ce qui implique aussi, naturellement, la liberté, l'harmonie autour de soi ainsi qu'une vie joyeuse et intéressante.

Tout cela nous a été promis par Dieu, pourvu que nous le désirions sincèrement et ardemment. Notre vie peut être parfaitement protégée en dépit des circonstances extérieures ; et non seulement nous serons en sécurité mais nous en aurons conscience, ce qui nous délivrera de toute crainte sans fondement. Et, parce que Dieu est Amour, Il a décidé que nous pourrions susciter ces conditions — du moins dans une large mesure — dans la vie de ceux que nous aimons et que nous voulons aider. Il ne s'agit donc point d'un arrangement égoïste pour nous mettre exclusivement à l'abri.

Dieu fait cette promesse magnifique tout au long des pages de la Bible, dans de nombreux textes. Chacun d'eux s'exprime en termes différents et aborde le sujet sous un autre angle, mais la leçon demeure la même.

Ce qui est capital, en l'occurence, c'est que pour que la promesse se réalise, il faut que nous priions fréquemment, que nous nous efforçions de prendre autant que nous le pouvons conscience de la Présence de Dieu en nous, et que nous prenions l'habitude de Lui donner tout pouvoir — ce qui implique, naturellement, que nous ne devons en accorder aucun à ce qui ne Lui est pas semblable.

Inutile de dire que cette condition ne se remplit pas d'un jour à l'autre. Il y faut du temps. Mais, il est surprenant de constater les résultats obtenus et combien les circonstances peuvent s'améliorer en peu de semaines — si on le fait sérieusement.

C'est cela, évidemment, que les mystiques ont appelé « La Pratique de la Présence de Dieu ».

Il est essentiel de savoir que cela n'a rien de mystérieux, d'abstrait, de compliqué. C'est, au contraire, simple, clair et pratique, sans être cependant particulièrement facile.

Fréquemment, au cours de la journée, souvenez-vous que Dieu est avec vous, qu'Il prend soin de vous et vous guide, que tout ce que vous dites ou faites est accompli en réalité par Lui à travers vous. Il n'y a rien là de très obscur, ni de très subtil, n'est-ce pas ? Vous savez que dans la Bible, les montagnes représentent toujours les pensées élevées, le sentiment de la Présence de Dieu et qu'elles sont saintes par conséquent — ce qui ne veut pas dire dévotes ou bigotes, mais paisibles, saines, harmonieuses et joyeuses.

La promesse est claire, on ne peut s'y méprendre. Le mal, sous aucune forme, ne peut nous atteindre si nous demeurons presque tout le temps sur la montagne sainte.

LE CHEMIN DIFFICILE

TOUS ceux qui suivent la voie spirituelle se sont aperçus qu'il leur arrive parfois, au cours des premières années — et cela assez souvent — de se trouver soudain dans l'impossibilité partielle ou totale de prier. Il leur semble qu'ils n'ont pas conscience d'être en contact avec Dieu. Cela les déprime naturellement, et les amène parfois à une crainte plus grande et presque au désespoir.

Eh bien, ces douloureuses réactions n'ont plus raison d'être dès que l'on sait que chacun en a fait l'expérience. Si vous vous imaginez que vous êtes le seul à les avoir éprouvées, cela vous effraie, évidemment ; mais maintenant, vous savez que ce n'est point le cas.

Ce trouble est dû au surmenage. Sans doute avez-vous prié trop longuement, avec trop d'efforts ; vous avez consacré trop de temps exclusivement à votre travail spirituel au lieu d'avoir d'autres intérêts dans la vie.

C'est, en réalité un état d'avidité, de congestion psychologique, qu'au Moyen-Age, les Mystiques appelaient « une période de sécheresse ». Ils en souffraient extrêmement, car ils croyaient commettre un péché.

Ce n'est pas dans la lutte que réside le remède ; il faut savoir que cet état est passager et que vous retrouverez votre joie spirituelle. Si vous ne pouvez prier, n'insistez pas, mais pensez : « Dieu est si bon que je n'ai pas besoin de prier. De toute façon, Il prend soin de moi ». Eprouvez-vous un sentiment de dépression ? Pensez : Ma « personne » est découragée mais « JE » ne le suis pas. Je sais à quoi m'en tenir ! »

Quand vous faites une longue randonnée en automobile, il arrive parfois que vous tombiez sur une mauvaise route, pleine de fondrières. Pendant des centaines de kilomètres tout avait été parfait et maintenant vous êtes durement secoué et cahoté, mais vous ne vous tourmentez nullement, certain que cela ne durera pas longtemps. Peut-être même qu'un poteau indicateur vous prévient : « Route goudronnée, à trois ou quatre kilomètres d'ici ».

Dans votre vie spirituelle, si la route devient ardue, tournez-vous vers la lumière et dites « La route goudronnée » est un peu plus loin ».

« Arrêtez et sachez que je suis Dieu » (1).

---

(1) Psaume 46 : 10.

LE VOLEUR DANS LA NUIT

IL est inutile de lutter pour obtenir un exaucement. Vous ne pouvez le réaliser par votre force de volonté et votre lutte, en réalité, le retarde. Ce qu'il faut faire, c'est prier aussi tranquillement que vous le pouvez en vous appuyant sur la Vérité autant que cela vous est possible, parce que, justement, c'est la Vérité et que vous avez pris, il y a longtemps la résolution d'être son champion. Dès lors, vous avez fait votre devoir, or vous savez que pas un mot prononcé en priant n'est vain ou ne se perd, la démonstration s'effectuera donc à un moment donné. Ne soyez pas impatient.

En priant de la sorte, la réalisation s'opèrera quand vous l'attendrez le moins : peut-être tandis que vous êtes en train de prier, mais peut-être aussi plus tard, quand vous serez préoccupé par d'autres sujets. Cependant, n'oubliez pas que vous pouvez obtenir des démonstrations extraordinaires sans en être conscients, bien qu'il vaille mieux, naturellement, que vous vous en rendiez compte, car dans ce cas, vous faites un plus grand pas en avant.

Jésus, selon sa manière pittoresque et hardie, compare ce fait — et c'est assez surprenant —

à l'entrée d'un voleur, dans une maison au milieu de la nuit. Des âmes moins hautes auraient été trop timorées pour se servir de cette comparaison ; mais Jésus désirait attirer l'attention, par une image frappante et dramatique, afin que sa leçon porte.

Il est évident que le voleur choisit le moment où il y a bien des chances qu'on ne l'attende pas. Il souhaite, avant tout, que l'occupant de la maison ne soit pas prévenu. La réussite est en fonction de la surprise.

Eh bien, c'est de cette manière que survient l'exaucement, et je pense qu'après avoir médité sur cette image si frappante nous ne travaillerons plus spécialement en vue d'une réalisation.

« Veillez donc puisque vous ne savez pas quel jour votre Seigneur viendra. Sachez le bien, si le maître de la maison savait à quelle veille de la nuit, le voleur doit venir, il veillerait et ne laisserait pas percer sa maison. C'est pourquoi, vous aussi, tenez-vous prêts, car le Fils de l'homme viendra à l'heure où vous n'y pensez pas » (1).

---

(1) Matthieu 24 : 42, 44.

LA FOI NECESSAIRE

AYEZ foi en votre propre foi. Ayez suffisamment de foi en vous-même pour croire que votre foi est vraiment assez forte pour transporter des montagnes.

Cela vous paraît étrange ? Ce l'est probablement pour beaucoup, cependant c'est ce que Jésus à enseigné.

Les gens répètent constamment qu'ils aimeraient avoir une foi plus grande, car ils obtiendraient alors de meilleurs résultats. Il faut que vous vous rendiez compte que cette attitude mentale est extrêmement négative et constitue un obstacle. Vous affirmez, en effet, bien qu'indirectement, que votre foi est faible — et vous savez ce que cela implique !

Jésus a dit que la foi la plus minime (aussi petite qu'un grain de sénevé) était suffisante.

Si vous avez assez de foi pour prier, vous en avez assez pour vous mettre en route. Prieriez-vous, si vous n'aviez pas la foi ?

Ayez foi en votre propre foi, et celle-ci se développera d'elle-même toujours davantage jusqu'à ce que le résultat que vous cherchez soit atteint.

« Ne sois pas incrédule, mais crois ! » (1)

---

(1) Jean 20 : 27.

CE QUI N'EST PAS LA METAPHYSIQUE

LA métaphysique n'a rien de commun avec l'optimisme béat. Elle ne prétend pas que « tout s'arrangera ». Les choses ne seront ce qu'elles doivent être que si vous les rendez telles par vos pensées justes. Il est certain que vous pouvez vous attirer n'importe quel ennui en pensant faux et en négligeant Dieu.

La métaphysique n'est pas une méthode pour s'enrichir rapidement. Elle démontre que lorsque nous avons foi en Dieu, Il pourvoit généreusement à tous nos besoins, mais elle n'est point en elle-même un moyen de se procurer de l'argent.

Elle ne nous enseigne pas qu'il nous suffit d'ordonner pour obtenir ce que nous désirons — et que si nous y pensons fortement — Dieu obéit. Cette idée absurde se solde généralement par des catastrophes. Ce qui est vrai, c'est que nous n'obtenons que ce qui correspond à notre état de conscience ; inversement notre état de conscience suscite infailliblement ce qu'il est prêt à recevoir.

La métaphysique n'est pas le triomphe de *l'esprit sur la matière*. Elle nous apprend que ce que nous voyons autour de nous n'est que la matérialisation de ce que nous avons pensé et cru. C'est pourquoi nous ne tentons pas d'exercer notre domination sur ce qui est au-dehors de notre esprit, mais nous nous efforçons de transformer celui-ci.

La métaphysique ne prétend pas que nos *ennuis sont imaginaires*. Elle admet qu'ils existent en tant qu'expériences, mais elle affirme qu'ils peuvent disparaître si nous prenons conscience de la Présence de Dieu.

Elle n'a aucun rapport avec la guérison par la foi tel qu'on l'entend généralement : c'est-à-dire une lutte menée avec une foi aveugle et la puissance de la volonté contre un mal considéré comme réel. Elle enseigne une Foi intelligente et compréhensive, basée sur la bonté et l'omniprésence de Dieu.

La métaphysique ne doit pas être confondue avec le Panthéïsme. Celui-ci, tel qu'on le comprend en général, prête au monde extérieur une existence réelle et séparée de Dieu, affirmant qu'il n'en n'est qu'une partie, y compris le mal et la cruauté qu'on y découvre ! La vérité c'est que Dieu est la seule Présence, la seule Puissance et qu'Il est le Bien absolu. Croire au mal c'est commettre une erreur à l'égard de la Vérité ; le monde extérieur enfin est l'image projetée par nos pensées.

TABLE DES MATIERES

Pages

Préface 7
Clochard, tu es riche 9
Le lion n'était qu'âne 12
Lâchez la bride 15
Tirez parti de vos déficiences 17
N'accusez pas le virtuose 20
Les trois dons 22
La queue du chien 24
Etes-vous dynamique ? 26
Un être dynamique 28
Vous leurrez-vous ? 30
Prévision et Rétrospection 32
Le sourire est un bon placement 34
Les grandes lois mentales 36
- 1. La Loi de Substitution 36
- 2. La Loi de Décontraction 39
- 3. La Loi de l'Activité subconsciente 41
- 4. La Loi de l'Expérience pratique 43
- 5. Les Deux Eléments 45
- 6. L'Objet de vos pensées s'intensifie 47
- 7. La Loi du Pardon 49

Avez-vous un petit dieu personnel ? 51
Qu'est-ce que la Nature ? 53
Le Capitaine est à son poste 55
Le Flux et le Reflux 57
Le Mille-Pattes 59
Utilisez ce que vous avez 61
Que ressentez-vous ? 63
L'Amour divin ne périt jamais 65
Réfléchissez-y 67
Invites 71
Une chose à la fois 73
La Grande Loi élastique 76
Vous ne pouvez pas mais Dieu peut 78
La Nature est bienveillante 80
Dynamite 82

Pages

La Marée purifie tout 84
Aucune circonstance n'affecte Dieu 86
Libre arbitre ou Destinée 88
Les Mots-Clefs de la Bible 90
1. Peur 90
2. Colère 92
3. Je suis celui qui est 94
4. Salut 96
5. Méchant 99
6. Jugement 101
7. Païens. Ennemis. Etrangers 102
8. Christ 103
9. Repentance 105
10. Vengeance 107
11. Vie 109
Que ceci soit bien clair 111
Pas d'hypothèque sur aujourd'hui 113
Vouloir, c'est pouvoir 115
Dieu sait tout 117
Le double traitement 119
La clef de la vie 121
Avez-vous compris ces vérités ? 123
Qu'avez-vous dans la tête ? 125
Le cafre ne savait pas 127
Qualité de la pensée 129
Le secret des bonnes affaires 131
La Treizième heure 133
Pourquoi est-ce arrivé ? 135
Dois-je me couper la gorge ? 137
Les ravages des sauterelles 139
Réalisez votre rêve 141
Pas mort mais endormi 143
La Licorne 145
Ne pillez pas les tombes 147
Inspiration et effort 149
L'Hymne divin 151
Fuir la vie 153
La Non-résistance 155
Un traitement par la Bible 157
Oui, la prière peut tout changer 158
Emballage et céréales 160
Un début seulement 162
Le Tapis persan 164
Le cours supérieur 166
Ne luttez pas 168
Les sept règles de la Prière 170
Le Roi Hérode 171

Pages

Plongez votre seau 173
Déchargez ce chameau 175
Notre Frère aîné 178
La Guérison spirituelle 180
Telle est la vie 182
La grande alliance de la Bible 184
S'alimenter ou mourir de faim 186
Donnez-moi une affirmation 188
Comprendre, tout est là 190
Réalisations 192
La clef de la Bible 194
Dieu ne change pas 196
Au moment du danger 198
Traitement trop fréquent 200
Traverser le Pont 202
Expertise 204
La Prière efficace 206
Des mots ! Des mots ! Des mots ! 207
Sept prières efficaces 209
Votre acquiescement mental 211
Sept points fondamentaux 212
Ouvrez les volets ! 214
Dieu, le grand ami 216
Déclaration de nos droits divins 218
Maître et non Esclave 220
Obtenez des résultats 222
La nature humaine peut-elle changer ? 224
Laissez Dieu vous en rendre digne 227
Donnez-lui le temps... 229
Simple et clair 231
L'Eternel présent 233
Laissez éclore le poussin 236
Comment agit la prière 238
Qu'advient-il du mal ? 240
Votre grande chance 242
Le bulbe et la fleur 245
Le but de notre vie 247
Prenez les dispositions matérielles 248
S'unir à Dieu 250
Voir Dieu partout 252
Aux prises avec l'épouvantail 254
Le Péché impardonnable 256
Une expérience passionnante 258
Différentes formes de la prière 260
Connaître la Vérité, ne pas la fabriquer 262
Dieu œuvre avec joie 264
Se condamner est une erreur 266

Pages

L'Etude est une chose. Le Traitement en est une autre 268
L'Omniprésence 270
La Démonstration 272
L'Atelier mystérieux 274
Le traitement est une opération 276
Qu'est-ce que : chercher le Royaume ? 278
Adorer, c'est vaincre 280
Est-ce égoïste ? 282
Matérialisez votre vision spirituelle 284
La tension mentale n'est pas la prière 286
L'or, l'argent, l'ivoire, les singes et les paons 288
La Prière résout tous les problèmes 293
La Base spirituelle 295
Quand Dieu n'agit pas 296
Une vie consacrée 298
Pas de marteau-pilon pour tuer les mouches ! 299
Pourquoi cela m'arrive-t-il à moi ?.......... 301
Prier puis agir sagement 303
L'outil inutile 305
Entre les mains de Dieu 307
Noms nouveaux pour choses anciennes 309
Ce qu'il faut faire 311
La Prière peut tout 312
Bonté et Vérité 314
L'inattendu divin 316
Un livre étonnant 318
Ce que vous croyez 320
Ma montagne sainte 323
Le chemin difficile 326
Le voleur dans la nuit 328
La foi nécessaire 330
Ce que n'est pas la métaphysique 331

Imp. Bosc Frères, 69600 Oullins - Dépôt légal no 8687 - Décembre 1990